A. CHIUCHIÙ - M.C. FAZI - R. BAGIANTI

LE PREPOSIZIONI

EDIZIONI GUERRA - PERUGIA - 1982

II Edizione riveduta e corretta 1984

Gli Autori insegnano, da anni, la lingua italiana come L$_2$
all'Università Italiana per Stranieri di Perugia.

Gli inchiostri sono del pittore
Franco Venanti.

3. 2. 1.
1995 94

© Copyright - Edizioni Guerra Perugia 1982

Tutti i diritti riservati sia del testo che del metodo

INTRODUZIONE

La preposizione, segno invariabile appartenente alla categoria dei funzionali, è l'oggetto della presente ricerca. Più precisamente, sono stati presi in esame la preposizione propria, elemento grammaticale veicolare e significante, e l'insieme delle preposizioni proprie che costituiscono un gruppo importante, anche se poco numeroso.

Escluse per ora le preposizioni improprie di luogo, di tempo, esclusive e quelle con valori vari (dentro, fuori, vicino, lontano; prima, dopo, durante, entro; senza, eccetto, salvo, tranne; contro, malgrado, secondo, circa) e le locuzioni prepositive, nessi formati da avverbi e preposizioni, da sostantivi e preposizioni o gruppi preposizionali (accanto a, prima di, innanzi a, per opera di, al di là di, ecc.), l'analisi ha inteso far coincidere esigenze di diversa e, nello stesso tempo, fondamentale utilità. Essendo, come già detto, la preposizione un segno funzionale sempre preposto ai nomi, agli aggettivi, ai pronomi, agli avverbi e agli infiniti, essa acquista il suo valore pieno ed il suo significato preciso solo quando è unita ad altre parole che essa collega in rapporti determinati e specifici con altri elementi della frase.

Questa classica definizione, che è altresì una basilare condizione linguistica, sembra essere stata disattesa in questi ultimi anni per ragioni documentabili, seppur discutibili.

L'esigenza di un'estrema concisione, che trae origine dai tempi attuali, ha spinto il parlante a far uso di una lingua telegrafica in omaggio al principio dell'esporre un concetto nel più breve tempo possibile perché questo possa essere più rapidamente « compreso ».

Una spiegazione a tutto ciò, se non proprio una giustificazione, sembra provenire dal fatto che la necessità di una rapida decodificazione assume un aspetto prioritario rispetto allo stesso concetto che deve essere espresso e alla stessa correttezza formale della lingua, oltre che dalla naturale tendenza del parlante a rendere il massimo con il minimo sforzo.

Tale processo di riduzione linguistica è inoltre favorito dalla reciproca condizione di colui che parla e di colui che ascolta, i quali vengono a trovarsi in una tale sintonia che finiscono per identificarsi nel momento della produzione e della decodificazione.

In alcuni casi questo parlare stringato, conscio e inconscio, va a discapito della precisione e della comprensione, quando non intacca la stessa sostanza concettuale e scade nell'ambiguità o nel non-senso.

Le cause di tale fenomeno vanno ricercate in abitudini espositive tipiche di quelli che, secondo una definizione corrente e ben nota, vengono definiti linguaggi settoriali o microlingue a cui fanno ricorso i vari mass-media e i loro fruitori.

Se per gli italiani può essere possibile, in ultima analisi, comprendere un tale parlato stringato, dati la pressoché totale immersione in esso, il continuo esercizio e la graduale e conseguente assimilazione, per gli stranieri l'assenza o la perdita della funzione specifica della preposizione non produce altro risultato che generare uno squilibrio tra il parlare e l'essere esplicito, tra l'ascoltare e il capire, o, più raramente, fra il leggere e l'interpretare.

Muovendo da precisi bisogni, facilmente individuabili da chi opera quotidianamente nel campo dell'insegnamento dell'italiano come L2, lo studio in oggetto, anche se non esaurisce l'argomento, intende essere un contributo, si spera prezioso, al raggiungimento di una migliore padronanza della lingua.

Il continuo e rigoroso ricorso al Vocabolario Fondamentale della Lingua Italiana di G. Sciarone (Minerva Italica, 1980) ha caratterizzato questa prima parte dello studio sulla preposizione, finalizzato alla realizzazione di uno strumento di approfondimento, scientificamente elaborato.

Il Vocabolario Fondamentale della Lingua Italiana di G. Sciarone presenta due caratteristiche basilari: è impostato secondo le tecniche per le liste d'uso ed è perfezionato dall'applicazione della cosidetta legge dei grandi numeri (corpus complessivo di un milione e mezzo di occorrenze).

La lista d'uso è il risultato, tra l'altro, della fusione di due vocabolari: il vocabolario di frequenza e il vocabolario di disponibilità.

Il vocabolario di frequenza è costituito, in larga misura, dalle parole grammaticali, dai verbi, da un certo numero di sostantivi ed aggettivi che ritornano con insistenza nei dialoghi e nelle conversazioni quotidiane. Si può affermare che almeno fino alla frequenza mille, rappresenta la struttura portante della lingua, non è soggetto a fluttuazioni o a dimenticanze, è usato automaticamente dal parlante.

L'altro vocabolario, quello di disponibilità, che viene selezionato mediante centri d'interesse, non ricorre frequentemente nelle conversazioni; appare solo in caso di bisogno ed il parlante lo usa solo quando le circostanze lo esigono.

Stabilita la peculiare importanza del Vocabolario Fondamentale e facendo costante riferimento ad esso, si è data, per ogni preposizione, una gamma di situazioni quanto più vasta possibile considerando di nuovo l'uso e quindi la frequenza questa volta non dei singoli lemmi, ma delle varie espressioni. Pur nella brevità delle situazioni create si è costantemente agito in modo da inserire le preposizioni nei contesti situazionali più comuni della lingua di tutti i giorni.

E per la fraseologia, sono state ideate delle micro-situazioni, a volte dei micro-dialoghi, per poter, attraverso una tecnica di contrasto o analogia, rendere comprensibili espressioni di non facile interpretazione e quindi dar loro concretezza.

Angelo Chiuchiù

INTRODUCTION

The preposition, unchanging functional sign, is the subject of the present research. More precisely, the preposition itself, as a communicative and significant grammatical element, was examined along with the prepositions individually which constitute an important, although not numerous, group.

Excluding for now the so-called 'pseudo' prepositions of place, time, exclusion, and those with diverse meanings (dentro, fuori, vicino, lontano; prima, dopo, durante, entro; senza, eccetto, salvo, tranne; contro, malgrado, secondo, circa), and prepositional expressions, connecting phrases formed by adverbs and prepositions, by nouns and prepositions, or prepositional groups (accanto a, prima di, innanzi a, per opera di, al di là di, etc.), the analysis intended to co-ordinate the needs of diverse and, at the same time, fundamental uses. As already stated, being that the preposition is a functional sign always preceeding nouns, adjectives, pronouns, adverbs and infinitives, its full value and precise meaning are attained only when the preposition is united with another word which it links to other elements of the phrase in a definite and specific relationship.

This classic definition, which is likewise a basic linguistic condition, seems to have been neglected in recent years for documentable, even if debatable, reasons.

The need for the utmost conciseness, which draws its origins from the present times, has pushed the speaker to make use of a telegraphic language in honor of the principle of exposing a concept in the shortest possible amount of time so that it can be more quickly 'comprehended'.

An explanation for all this, if not exactly a justification, seems to come from the fact that the necessity of a rapid decodification takes priority over the same concept which must be expressed and over the same formal correctness of the language, besides the speaker's natural inclination to make the most with the least effort.

7

Such a process of linguistic reduction is further favoured by the reciprocal condition of the speaker and the listener who feel themselves to be so much attuned to each other that the moment of the production and that of the decodification become equated.

In some instances, this concise speech, consciously and unconsciously, loses somehow precision and comprehensiveness when it doesn't damage the same conceptual substance and decay into ambiguity or nonsense.

The causes of such phenomenon are found in expressive habits typical of those which, according to a current and well-known definition, are termed 'languages for special purposes' or 'microlanguages', used by the diverse mass medias and their public.

If it is possible, in the last analysis, for Italians to understand such a forced language given their almost total immersion in it, continuous practice and gradual, consequential assimilation, for foreigners the absence or loss of the specific function of the preposition only generates a lack of balance between speech and being explicit, between hearing and understanding or, more rarely, between reading and interpreting.

Moving away from specific needs, easily distinguished by those who work daily in the field of teaching Italian as a second language, the study's objective (if it doesn't completely exhaust the subject) is to be a hopefully valuable contribution to the attainment of a better mastery of the language.

Continuous and rigorous reference to the Vocabolario Fondamentale della Lingua Italiana, *by G. Sciarone (Minerva Italica, 1980) has characterized this first part of the study of the preposition, aiming at the realization of a learning tool, scientifically worked out.*

The Vocabolario Fondamentale della Lingua Italiana *by G. Sciarone introduces two basic features: it is structured according to the techniques for the lists of usage and is completed by the application of the so-called law of large numbers (comprehensive body of a million and half items).*

The list of usage is the result, among other things, of the fusion of two vocabularies: the vocabulary of frequency and the vocabulary of availability.

The vocabulary of frequency is constituted, in large part, by grammatical words, by verbs, by a certain number of nouns and adjectives which return repeatedly in dialogues and daily conversations. It can be said that the first one thousand items of this voca-

bulary represent the carrying structure of the language, are not subject to fluctuation or to being forgotten and are used automatically by the speaker.

The other vocabulary, that of availability, which is selected by striking an average between centres of interest, does not recur frequently in conversations; is appears only in cases of need and the speaker uses it only when circumstances demand it.

Given the particular importance of the Vocabolario Fondamentale *and making constant reference to it, a range of situations is given for each preposition, made so much more ample by considering again the usage and therefore the frequency this time not of single items, but of the various expressions. Even with the conciseness of the made up situations, these are constantly rearranged in a way to insert the preposition in the most typical situational contexts of everyday language.*

Finally, regarding the phraseology, mini-situations and, at times, mini-dialogues were devised, through a technique of contrast or analogy, in order to make understandable, and thereby give concreteness to, expressions of difficult interpretation.

Angelo Chiuchiù

Preposizione **A**

La preposizione **A** si usa per indicare:

* Moto a Luogo.
* Stato in Luogo.
* Oggetto Indiretto.
* Tempo Determinato - Occasione - Età.
* Modo o Maniera - Condizione.
* Mezzo o Strumento.
* Misura - Distanza - Prezzo.
* Pena.
* Fine o Scopo.
* Qualità.
* Causa.
* Limitazione - Paragone.
* Situazione.
* Elemento Predicativo.

Si presentano inoltre:

a) Aggettivi che, di solito, reggono la preposizione **A**.
b) Verbi che possono essere seguiti da **A** + Infinito.
c) Fraseologia.

MOTO A LUOGO (1)

* Dopo la lezione torno subito **a** casa.

* Sono caduto **a** terra e mi sono fatto male.

* Stamattina Maria non è venuta **a** lezione.

* Gli studenti non devono arrivare tardi **a** scuola.

* Ho invitato i miei colleghi **a** cena (**a** pranzo).

* Ieri sera ci siamo recati **a** teatro.

* E' montato **a** cavallo ed è partito.

* E' ora di andare **a** letto!

* Per il centro, ti conviene girare **a** destra e poi proseguire **a** sinistra.

* Per favore, ritorni subito **a** posto!

* Marco è arrivato **alla** stazione in anticipo.

* Perché non mi accompagni **alla** mensa?

* Tutte le domeniche vado **alla** messa.

* Il professore ha mandato lo studente **alla** lavagna.

* Devo passare **alla** posta per spedire una raccomandata.

* Quando sono arrivato **al** cinema, il film era appena cominciato.

* Carlo sta correndo **al** centro perché ha fretta.

* Alla fine della prima lezione gli studenti sono scesi **al** bar.

* Posso andare **al** bagno?

* Manderò mio figlio **al** circolo da solo.

* Marco ha accompagnato la signorina **al** ristorante.

* Ieri abbiamo fatto una gita **al** lago di Bracciano.

* Quando sono giunto **al** mare, ho trovato i miei amici ad aspettarmi.

---

(1) Con i nomi di città si usa sempre A. Es.: Domani Paolo andrà **a** Roma.

* Tutte le mattine la signora Maria si reca **al** mercato per fare la spesa.

* Ho portato mio figlio **allo** zoo.

* Vorremmo andare **allo** stadio per vedere una partita di calcio.

* Mi dispiace, ma non potrò venire **allo** spettacolo con te.

* Il malato è stato portato urgentemente **all'**ospedale.

* Passi **all'**ufficio informazioni per avere notizie più precise.

* Anche ieri Cristina è arrivata **all'**appuntamento in ritardo.

* Ma va **all'**inferno (**al** diavolo, **a** quel paese, **a** farti benedire, **a** farti friggere), mi hai già disturbato abbastanza!

* Vado **all'**università tutti i giorni tranne il sabato e la domenica.

* Si è avviato **all'**uscita senza aspettarmi.

* Sono andato **all'**Accademia d'arte per visitare la mostra di un mio amico.

STATO IN LUOGO

* Paolo abita **a** Perugia.

* Ieri Maria è restata **a** casa perché aspettava una telefonata.

* Ho fatto colazione **a** letto perché non mi sentivo bene.

* Paolo è nato **a** Genova nel 1950.

* Napoli si trova **a** sud di Roma.

* Entrando, **a** destra, c'è l'ufficio informazioni.

* Prendiamo il libro e leggiamo **a** pagina 10.

* Faccio sempre la spesa **alla** Standa.

* Molti italiani lavorano **alla** Fiat.

* Mi dispiace, ma l'ufficio che lei cerca si trova **alla** sede centrale.

* **Alla** Posta vedo sempre molta gente che fa la fila.

* **Alla** cerimonia c'erano le persone più importanti della città.

* **Alla** facoltà di medicina c'è il numero chiuso.

* Ieri **alla** riunione il direttore ha annunciato le sue dimissioni.

* Ho passato due mesi **al** mare.

* I miei amici hanno una casa **al** lago.

* Mario passa tutti i pomeriggi **al** bar.

* **Al** museo del Louvre possiamo ammirare molti capolavori.

* Mangio **al** ristorante perché non mi piace cucinare.

* Non si preoccupi, tutti i libri sono **al** loro posto.

* **Allo** stadio abbiamo visto una bella partita.

* Ieri sera non c'era molta gente **allo** spettacolo.

* I bambini si divertono un mondo **allo** zoo.

* Finalmente ho trovato le mie sigarette preferite **allo** spaccio di via Garibaldi.

* Mio marito lavora **all'**ospedale.

* Quel professore che insegna **all'**Istituto di Belle Arti, è molto simpatico.

* Ho comprato questo orologio **all'**estero.

* Ho conosciuto quella bella ragazza **all'**ufficio postale.

* Ho dovuto presentare la tessera **all'**entrata.

* Se vuoi, puoi frequentare il corso preparatorio **all'**Università per Stranieri.

OGGETTO INDIRETTO (1)

* Durante la mia assenza dovrò **affidare** i bambini **alla** nonna.

* Solo ieri **ha annunciato agli** amici il suo fidanzamento.

* Non **appartengo a** nessun partito.

* L'Università per Stranieri **assegna** borse di studio **agli** studenti più meritevoli.

* **Ho assicurato a** Maria di portarla a cena fuori.

* Non ha potuto **assistere allo** spettacolo perché era malato.

* **Auguriamo a** tutti buone feste.

* E' un egoista, **bàda** solo **ai** fatti suoi.

* A chi puoi **chiedere** un favore, se non **ad** un amico? (2)

* Il capitano **comandò ai** soldati di sparare al nemico.

* **Ha comunicato** la notizia della sua promozione solo **a** pochi amici.

* La banca **concederà a** mio zio un forte prestito.

* Prima di uscire, devi **consegnare** la composizione **al** professore.

* Non posso **consentire a** nessuno di fumare in classe.

* In questo ristorante si mangia bene; **consiglio a** tutti di andarci.

* Dopo questo episodio, non **crederò** più **a** niente e **a** nessuno.

* Non **dare** confidenza **alle** persone che non conosci bene.

* Non si deve **dare** fastidio **alle** signorine per strada.

* **Ha dedicato** tutta la sua vita **al** lavoro.

* Il radiocronista **descrive agli** ascoltatori le fasi dell'incontro.

* Tutto il denaro **fu destinato alla** beneficenza.

---

(1) Sono stati scelti e presentati in ordine alfabetico i verbi che reggono il complemento indiretto compresi entro le 2725 parole del « Vocabolario fondamentale della Lingua Italiana » di G. Sciarone.

(2) Quando la prep. **a** si trova davanti ad altra vocale, specie se questa è un'altra **a**, assume una « d » eufonica.

* **Ha dichiarato alla** giuria di essere innocente.

* Vuole **dimostrare alla** gente quanto vale.

* **Dirò a** Mario ciò che penso, senza peli sulla lingua.

* Essere bocciati **dispiace a** tutti.

* Babbo Natale **distribuisce** i doni **ai** bambini buoni.

* **Ha domandato** l'ora **ad** un passante.

* **Donerà** tutti i suoi libri **alla** biblioteca della sua città.

* **Ho espresso** le mie congratulazioni **al** vincitore.

* Gli studenti **fanno** sempre molte domande **al** professore.

* E' molto altruista: **fa** sempre favori **a** tutti.

* Appena arrivato ha dovuto **fornire** le informazioni richieste **alla** Questura, per ottenere il permesso di soggiorno.

* L'art. 3 della Costituzione italiana **garantisce** la libertà e l'uguaglianza **a** tutti i cittadini.

* I tuoi consigli non **sono giovati a** nessuno.

* La vita in campagna **giova alla** salute.

* **Ha giurato al** suo amico di non aver mai detto quella parola.

* Il compito della guida è di **illustrare ai** turisti le bellezze della città.

* Un imprevisto impegno di lavoro **ha impedito a** Paolo di venire da noi.

* Il governo **impone** continuamente nuove tasse **ai** cittadini.

* **Hai indicato a** quel signore la strada più breve per la stazione?

* In questa università **si insegna** la lingua italiana **agli** studenti stranieri.

* Occorre **interessare** i cittadini **ai** problemi sociali.

* **Invieremo** un telegramma di auguri **agli** sposi.

* **Si è iscritto** quest'anno **all'**università di Roma.

* **A** Maria **manca** del tutto il senso dell'umorismo.

* **Ha mandato** un mazzo di rose rosse **alla** sua amica.

* E' difficile, ma non si dovrebbe mai **mentire a** nessuno.

* Carlo **ha mostrato** la sua nuova automibile **a** tutti gli amici.

* Il Presidente della Repubblica **ha negato** la grazia **a** quel detenuto.

* Tutti dovrebbero **obbedire alle** leggi.

* **A** mio figlio **occorrerebbe** un nuovo paio di scarpe

* **Ho offerto** da bere **agli** ospiti.

* Il medico **ha ordinato a** mio zio due mesi di assoluto riposo.

* Entro il 25 di ogni mese lo Stato **paga** gli stipendi **ai** suoi dipendenti.

* **Hai partecipato alla** riunione di ieri sera?

* Nonostante tutto, Cristina **pensa** sempre e solo **a** lui.

* Il professore non **permetterà ai** ritardatari di entrare in classe.

* Lo spettacolo **è piaciuto a** pochi.

* Sii gentile, **porta** questa tazza di tè **a** tuo fratello!

* Finalmente **ha presentato** la sua fidanzata **ai** genitori.

* Se vuoi un consiglio, non **prestare** i libri **a** nessuno.

* **Ho proibito a** mia figlia di uscire dopo cena.

* Non posso venire con te perché **ho promesso a** Mario di cenare con lui.

* Lo Stato deve **provvedere alla** educazione dei cittadini.

* **Si raccomanda a** tutti di essere puntuali.

* Ti prego di non **raccontare a** nessuno quello che ti ho detto.

* **Racconterò** tutto solo **all'**amico del cuore.

* Per la laurea i signori Rossi **hanno regalato al** figlio una automobile sportiva.

* **Ho reso (restituito) a** Giovanni il disco che mi aveva prestato.

* Non credo che **resisterà ad** un altro attacco di cuore.

* Non ti fidare di quell'uomo: **riferisce a** tutti quello che sente dire.

* Non voglio e non posso **rinunciare ai** miei diritti.

* Al Tennis Club l'ingresso **è riservato** soltanto **ai** soci.

* Sapresti **rispondere a** questa domanda?

* Non **ho risposto a** Maria, perché ho perduto il suo indirizzo.

* E' introverso: difficilmente **rivela** i suoi sentimenti **agli** altri.

* Non **rivolgo** più la parola **a** una persona come te.

* Quando sono in viaggio per affari, non **scrivo** mai **a** mia moglie, preferisco telefonarle.

* **Ho scritto allo** zio di Antonio una lunga lettera.

* Il suo comportamento è **sembrato (apparso) a** tutti strano.

* Sono d'accordo; quello che stai dicendo **sembra** giusto anche **a** me.

* E' riuscito ancora una volta a **sfuggire alla** cattura.

* Gaia **somiglia** molto **a** suo padre.

* I carabinieri, durante l'inseguimento, **hanno sparato ai** rapinatori.

* Non ti arrabbiare, questa decisione **spetta a** me e non **a** te.

* E' difficile **spiegare** il congiuntivo **agli** studenti di lingua inglese.

* Che cosa **è successo a** Maria?

* **Ho suggerito a** Paola di consultare uno specialista, perché mi sembra che non stia troppo bene.

* **Abbiamo telefonato a** Bianca molte volte, ma il telefono era sempre occupato.

TEMPO DETERMINATO - OCCASIONE - ETA'

* Di solito le lezioni finiscono **a** mezzogiorno.

* **A** Natale molta gente va in montagna per sciare.

* Il nuovo corso comincerà **all'**inizio del mese prossimo.

* Poche persone si alzano **all'**alba per vedere lo spettacolo del sorgere del sole.

* **A** lezione c'è sempre chi disturba.

* **Ai** primi di ottobre dobbiamo ricordarci di pagare l'assicurazione.

* Ho un appuntamento con Luigi **alle** sedici.

* **Alla** fine di ogni ora ci sono 15 minuti di intervallo.

* **Al** termine dello spettacolo, il pubblico applaudì lungamente.

* Riprenderò il lavoro **al** ritorno dalle vacanze.

* Di solito i professori italiani vanno in pensione **a** 65 anni.

* Decise di partire **all'**ultimo momento.

* Si è laureato molto presto, **all'**età di 22 anni.

MODO - MANIERA - CONDIZIONE

* Ha comprato una macchina costosa, non può pagarla subito, la pagherà **a** rate.

* In quel magazzino si compra solo **all'**ingrosso perché non è autorizzato a vendere **al** dettaglio.

* La mattina si deve far colazione perché **a** digiuno non si lavora bene.

* Chiedi sempre consiglio, ma poi fai sempre **a** modo tuo.

* Quando andiamo al ristorante, abbiamo l'abitudine di fare **alla** romana.

* E' una tipica commedia **all'**italiana.

* Al ristorante ho ordinato un risotto **alla** milanese e una bistecca **alla** fiorentina.

* Il padre di quella ragazza è un tipo **all'**antica.

* Ha terminato il suo lavoro **a** stento (**a** fatica).

* Non riesco **a** capirlo, ha l'abitudine di parlare **a** bassa voce.

* Mi dispiace, anche se **a** malincuore, devo lasciarti.

* E' uno sgobbone, studia tutto **a** memoria.

* E' importante, vi preghiamo di risponderci **a** stretto giro di posta.

* Ieri non siamo usciti perché pioveva **a** dirotto.

* I due fidanzati passeggiavano per il corso tenendosi **a** braccetto.

* Ti chiedo **a** mani giunte di aiutarmi.

* Il posto che cerchi di indicarmi è talmente lontano che non riesco a vederlo **ad** occhio nudo.

* E' un argomento privato, ne parleremo **a** quattr'occhi.

* Sa fare il suo lavoro **ad** occhi chiusi.

* Questo quadro, **ad** occhio e croce, può valere un milione.

* Resta a cena a casa mia, preparerò qualcosa **alla** buona.

* E' un tipo molto disordinato, fa tutto **alla** rinfusa.

* Spende molti soldi perché le è sempre piaciuto vestire **alla** moda.

* Ha detto molte cose **a** sproposito perché non conosceva bene la situazione.

MEZZO O STRUMENTO

* Ho venduto la mia macchina **a** benzina e ne ho comprata una nuova **a** nafta.

* Dopo il lavoro, non prendo mai l'autobus, preferisco andare **a** piedi.

* Questo articolo è fatto **a** mano, non **a** macchina, ecco perché è così caro.

* Ho comprato un quadro dipinto **ad** olio.

* Ci piace giocare **a** carte (**a** scacchi, **a** dama, **a** tombola, **a** pallone, **a** golf, **a** tennis) con gli amici.

* Quando sento freddo, accendo la stufa **a** gas (**a** carbone, **a** legna).

* I ragazzini fanno spesso **a** pugni.

* All'esame, i tests vanno scritti **a** penna e non **a** matita.

MISURA - DISTANZA - PREZZO

* Abita **a** poche centinaia di metri dal centro.

* A Perugia non trovo mai niente **a** buon mercato.

* Ho comprato un vestito **a** prezzo di fabbrica.

* E' un disonesto: vende i mandarini **a** 5000 lire il chilo.

* Ha fatto un affare, ha comprato molti metri di seta indiana **a** 10.000 lire il metro.

* Lei è molto prudente, al massimo va **a** 80 km. l'ora.

PENA

* E' stato condannato **a** venti anni di carcere (**al** pagamento della cauzione, **al** confino, **all'**esilio, **al** soggiorno obbligato, **ai** lavori forzati, **all'**ergastolo, **a** morte).

FINE E SCOPO

* Hanno messo un grosso cane lupo **a** guardia della villa.

* **A** che giova (**a** che pro) lavorare tanto?

* L'anno scorso i nostri amici austriaci ci hanno messo **a** disposizione il loro nuovo appartamento.

* Lavora duramente mirando solo **al** successo.

* Quel matrimonio sembra destinato **al** fallimento.

* Tutti hanno contribuito **alla** buona riuscita della festa.

QUALITA'

* Per favore, vorrei due quaderni **a** righe e uno **a** quadretti.

* Ha comprato un orribile vestito **a** strisce.

* In quel bar c'è un telefono **a** gettone, non **a** scatti.

* Ho visto una bella macchina **a** due porte.

* Non indosso mai i pantaloni, preferisco le gonne **a** pieghe.

* Nella mia camera c'è un grande armadio **a** muro.

* Quel medico è molto impegnato; ha un lavoro **a** tempo pieno all'ospedale.

CAUSA

* **A** quelle dure parole pianse.

* Ho il sonno leggero, mi sveglio **al** minimo rumore.

* **A** quella bella notizia fece salti di gioia.

* Quest'anno, **a** causa della neve, sono successi molti incidenti.

* **Al** segnale del vigile, l'automobilista si è fermato.

LIMITAZIONE - PARAGONE

* Fa come vuoi ma, **a** mio parere, sbagli di grosso.

* Tu, **a** mio giudizio, oggi non hai studiato abbastanza.

* E' andato alla clinica oculistica perché ha dei problemi **all'**occhio destro.

* E' coraggioso solo **a** parole, ma non **a** fatti.

* Non mangia mai le uova perché è malato **al** fegato.

* Non mi sento inferiore **a** nessuno.

* Ha un'intelligenza superiore **al** normale.

* I risultati sono stati superiori **ad** ogni aspettativa.

* In inglese non è secondo **a** nessuno dei suoi compagni.

SITUAZIONE

* Me ne vado perché in questo ambiente non mi sento **a** mio agio, anzi mi trovo decisamente **a** disagio.

* Non possiamo accompagnarti alla stazione perché siamo **a** corto di benzina.

* Sono un fumatore accanito, tengo sempre le sigarette **a** portata di mano.

* Tutto è **a** posto, possiamo partire tranquillamente.

* Quella notizia fu per me un fulmine **a** ciel sereno.

* Spero di non trovarmi mai faccia **a** faccia con quel losco individuo.

* E' stato collocato **a** riposo per raggiunti limiti di età.

* A ferragosto è difficile trovare posto negli alberghi, perché sono tutti **al** completo.

* Non parla mai perché è **all'**oscuro di tutto.

* Cameriere, prepari un tavolo **all'**aperto.

ELEMENTO PREDICATIVO

* Per risolvere la questione, hanno scelto **a** giudice la persona che, secondo me, è la meno adatta.

* Sei un buono a nulla, dovresti prendere **a** modello tua sorella.

* E' stato eletto **ad** arbitro dell'ultima partita di calcio un vecchio giocatore.

* Un noto giornalista sarà messo **a** moderatore del dibattito sulla fame nel mondo.

AGGETTIVI (1) CHE DI SOLITO REGGONO LA PREPOSIZIONE A

* Non tutti sono **adatti ad** insegnare una lingua straniera.

* I miei gusti sono **affini ai** tuoi.

* Ci troviamo in una situazione **analoga alla** vostra.

* Sta **attento a** quello che dici!

* La salute è **cara a** tutti.

* Questo prodotto non è **conforme al** campione.

* Sono completamente **contrario a** questa idea.

* Fumare è **dannoso alla** salute.

---

(1) Sono stati scelti e presentati in ordine alfabetico gli aggettivi compresi entro le 2725 parole del « *Vocabolario Fondamentale della Lingua Italiana* » di G. Sciarone.

* Ascolta bene: queste parole sono **dirette a** te!

* Solo per lui sono **disposta a** tutto.

* L'ossigeno è **essenziale alla** respirazione.

* Il tribunale ha assolto l'imputato ritenendolo **estraneo al** fatto.

* Sono **favorevole alle** tue proposte.

* E' un conservatore; resta sempre **fedele alle** tradizioni.

* Sono **grato a** tuo marito per tutto quello che ha fatto per me.

* Ricevere regali è **gradito a** tutti.

* E' una persona spesso **incline all**'ira.

* Per un difetto fisico, non è **idoneo al** servizio militare.

* Mi ascolta, ma rimane **indifferente alle** mie parole.

* Il raccolto non è stato **inferiore alle** previsioni.

* Il riposo è **necessario al** corpo e allo spirito.

* Prendere troppe medicine è **nocivo alla** salute.

* Quell'attore è **noto a** tutti.

* Ieri tutti i professori erano **presenti alla** riunione.

* Ha sempre la risposta **pronta ad** ogni domanda.

* Sono **propenso ad** una rapida soluzione del problema.

* Per favore, inviateci i documenti **relativi alla** spedizione.

* L'autore di cui sta parlando il conferenziere è **sconosciuto alla** maggioranza dei presenti.

* E' molto **sensibile al** fascino femminile.

* Pensavo che fosse diverso, ma anche lui è **simile a** tutti gli altri.

* Non mi ascolta mai, è sempre **sordo alle** mie parole.

* La sua intelligenza è sicuramente **superiore alla** media.

* Hai comprato un orologio **uguale al** mio.

* I soldi sono **utili a** tutti.

* La mia casa è **vicina alla** tua.

* Non so descriverti il colore di quel vestito; mi sembra più **vicino al** verde che al celeste.

VERBI (1) CHE POSSONO ESSERE SEGUITI DA A + INFINITO

* **Ho abituato** mio figlio **a essere** autonomo.
* E' difficile, ma devi **adattarti a vivere** in questa città.
* **Affrettati a rispondere** alle lettere che hai ricevuto la settimana scorsa.
* **Aiutami a risolvere** questo problema.
* **E' andato a prendere** un caffè al bar.
* Non ha molti interessi, **bada** solo **a divertirsi.**
* Prendi l'ombrello, **è cominciato a piovere.**
* **E' stato condannato a pagare** una forte multa.
* Anche se è tardi, **continua** ancora **a lavorare.**
* Abita nel mio appartamento, ma **contribuisce** solo in parte **a pagare** l'affitto.
* Non mi **convincerai** mai **a venderti** la mia macchina.
* Mi **ha costretto a fare** ciò che non avrei voluto.
* Si **fa presto a criticare** dall'esterno, senza conoscere la reale portata del problema.
* **Si è fermato a comprare** le sigarette.
* Quello che dici mi sembra incredibile, **esito a credere** alle tue parole.
* Durante la settimana bianca, **ho imparato a sciare.**

———————

(1) Sono stati scelti e presentati in ordine alfabetico i verbi compresi entro le 2725 parole del « *Vocabolario Fondamentale della Lingua Italiana* » di G. Sciarone.

* Chi ti **ha indotto a fare** una cosa simile?

* **Ho iniziato** prestissimo **a lavorare.**

* L'esperienza **insegna a non credere** mai a nessuno.

* Perché **insisti a dirmi** sempre le stesse cose?

* Devo **limitarmi a prendere atto** di ciò che dici, anche se non sono d'accordo.

* Ieri sera, prima di addormentarsi, **si è messo a leggere** un romanzo di Cassola.

* **Ha** sempre **mirato a raggiungere** una posizione di prestigio.

* Non puoi **obbligarmi a tacere.**

* Credo che non sia ancora uscito, **prova a telefonargli.**

* A stento **provvede a mantenere** la sua famiglia.

* Non mi **rassegnerò** mai **a vivere** senza di lui.

* Mi hai proprio stancato, non **ricominciare a lamentarti** senza motivo.

* Dopo quello che hai detto, **rinuncio a capirti.**

* E' stato immobile per molti mesi, solo adesso **sta riprendendo** lentamente **a camminare.**

* In poco tempo **è riuscito ad accumulare** una notevole fortuna.

* **Sbagli ad avere fiducia** in quella persona.

* Da un'ora **seguita a ripetere** le stesse cose.

* A che cosa serve quell'apparecchio? **Serve a misurare** il consumo della corrente.

* Il mio lavoro è molto pesante, **sfido** chiunque **a fare** quello che faccio io.

* Mia zia non può mangiare molto perché **tende ad ingrassare.**

* Quando puoi, perché non **vieni a trovarmi**?

FRASEOLOGIA

* **A dire il vero,** credo che lui abbia avuto molta fortuna.

* E' lontana l'Università? No, **a dir molto,** sarà a dieci minuti di cammino.

* La prossima settimana dovrò sostenere un difficile esame, **solo a pensarci,** mi vengono i brividi.

* Tu parli, parli, ma, **a farla breve,** che cosa vuoi dire?

* Quella casa sembra bella ma, **a guardar bene,** è divisa male e non è molto comoda.

* Sapeva di essere in ritardo e allora **correva a più non posso** verso la stazione per non perdere il treno.

* Il lavoro non è ancora finito, ma è **a buon punto.**

* E' facilissimo realizzare quanto dici, **ci vuole più a dirlo che a farlo.**

* Devi fare questo lavoro con cura ed attenzione; **non farlo alla carlona** come è tuo solito.

* Ha vinto un grosso premio al totocalcio: ha smesso di lavorare e **si è dato alla pazza gioia.**

* Quanti chilometri mancano? **A lume di naso,** direi una trentina.

* Il direttore parlava dell'alto costo della vita, allora **ho colto la palla al balzo** e gli ho chiesto un aumento di stipendio.

* La regina Elisabetta d'Inghilterra **è salita al trono** nel 1952.

* Non devi dire bugie, prima o poi **la verità viene a galla.**

* Dopo una violenta discussione, **sono venuti alle mani.**

* Appena arrivati **ci siamo messi a tavola** perché tutto era pronto.

* Quella ragazza **va sempre a spasso** per il Corso Vannucci.

* Chiacchiera tanto, ma non **viene mai al sodo.**

* E' arrivato all'improvviso mentre **eravamo a pranzo.**

* Oggi non voglio stendermi al sole, preferisco **stare all'ombra.**

* In questi ultimi mesi bisogna studiare sodo perché **gli esami sono alle porte.**

* E' uno sfaticato: **vive ancora alle spalle dei suoi genitori.**

* E' così buffo che, quando passa, tutti **gli ridono alle spalle.**

* Hanno dovuto **portare tutto a spalla** perché l'ascensore non funzionava.

* Nonostante gli insuccessi, **è ancora a galla.**

* Non vorrei **dar corpo alle ombre,** ma mi sembra che quei due non vadano più d'accordo come una volta.

* Mi raccomando, occupati di questa faccenda! Non dimenticare che **mi sta molto a cuore.**

* Alla fine del mese sono sempre **a corto di soldi.**

* La cornice di questo quadro è fatta veramente bene, direi **a regola d'arte.**

* Ha ricevuto una punizione **all'acqua di rose,** ma, per quello che ha fatto, ne avrebbe meritata una più severa.

* Ha telefonato a casa per chiedere soldi: infatti quelli che aveva ricevuto un mese fa **sono ormai agli sgoccioli.**

* Dopo una violenta discussione, **sono passati alle vie di fatto** ed uno di loro è finito all'ospedale.

* E' deciso ed autoritario: fa tutto, e vuole che si faccia tutto, **a tambur battente.**

* Anche se molte testimonianze erano contro di lui, l'avvocato **l'ha difeso a spada tratta** ed è riuscito così a farlo risultare innocente.

* Proprio perché conosco la situazione e **parlo non a vanvera ma a ragion veduta,** devi credere a quello che dico.

* Il proverbio italiano « **tutti i nodi vengono al pettine** » significa che prima o poi si deve rendere conto di tutto.

* Sei talmente testardo che non vuoi ascoltare nessuno; parlare con te è come **parlare al muro.**

* Mio figlio compie oggi due anni: per fortuna sta bene e **cresce a vista d'occhio.**

* In questi ultimi mesi non lavora; sta imparando a scrivere a macchina e, **a tempo perso,** studia l'inglese.

* In mezzo a tanta gente boriosa è **l'unico veramente alla mano:** è semplice e cordiale.

* Non conosce il perdono, ma solo la vendetta: quando subisce una offesa se **la lega al dito** e prima o poi si vendica.

* Essere in Italia e non mangiare gli spaghetti è come **andare a Roma e non vedere il Papa.**

* Non è sempre facile **rispondere a domande fatte a bruciapelo** (all'improvviso).

* Tutti dicono che è una bravissima persona, ma c'è qualcosa in lui che non **mi va a genio.**

* Si è laureato brillantemente ed ha un'ottima preparazione di base, ma è chiaro che, come libero professionista, **è alle prime armi.**

* Si è fermato un paio di giorni nella nostra città, ma non ha visitato né musei né chiese, **è** semplicemente **andato a zonzo.**

* Si dice che sia lui il padrone, ma all'atto pratico è lei che **comanda a bacchetta.**

* Sì, mi ha invitato alla sua festa, ma **a mezza bocca** ed allora ho preferito rifiutare l'invito.

* Se veramente vuole sposarsi, bisogna che si decida a trovare un buon lavoro e **a mettere la testa a posto.**

Preposizione **CON**

La preposizione **CON** si usa per indicare:

* Compagnia - Unione.

* Mezzo.

* Modo o maniera.

* Qualità.

* Circostanza (concomitante, temporale, causale).

* Relazione - Paragone.

Si presentano inoltre:

a) Situazione con valore concessivo e consecutivo.

b) Infinito preceduto dalla prep. CON (fa le veci del gerundio).

c) Fraseologia.

COMPAGNIA - UNIONE

* **Con** chi uscirai stasera? Uscirò **con** la mia amica.

* E' andato a cena **con** i colleghi ed è rientrato a casa tardi.

* Ha quarant'anni e non è sposata; vive ancora **con** i suoi genitori.

* Hai visto Angelo? No, ma ho parlato **con** lui al telefono poco fa.

* Ha partecipato ad un convegno di linguistica **con** i più famosi specialisti del momento.

* E' partito per la Francia **con** molte valige.

* Non mi piace il tè **con** il latte, preferisco il tè **con** il limone.

* I miei piatti preferiti sono: pasta **con** i funghi, uova **con** il prosciutto, insalata **con** pomodori e macedonia **con** gelato.

* Ha una bella casa **con** un ampio giardino intorno.

* Chi è la ragazza **con** quello strano cappello in testa?

* Ho conosciuto un signore **con** molti soldi.

* Arriva sempre **con** il giornale sotto braccio.

* Anche se non pioveva, è uscito **con** l'impermeabile.

MEZZO

* Mi ha avvertito del suo imminente arrivo **con** un telegramma.

* All'esame tutti devono scrivere **con** la penna e non **con** la matita.

* Cerca di essere educato e calmo perché spesso, **con** le buone maniere, si ottiene più che **con** l'arroganza.

* Stamattina ho salutato il professore e lui mi ha risposto **con** un cenno della mano.

* Quando mi ha chiesto di sposarlo, tanta era la gioia che mi sembrava di toccare il cielo **con** un dito.

* Partirò **con** l'aereo alla fine del mese.

* Sono andato a Roma **con** il treno delle 12,15.

* Riesce ad avere un notevole successo **con** la sicurezza che dimostra in ogni occasione.

* Non viene mai all'università **con** l'autobus perché preferisce fare una bella passeggiata di buon mattino.

MODO O MANIERA

* Il padrone di casa mi ha sempre trattato **con** molta gentilezza.

* Ho appreso bene l'uso del congiuntivo solo quando mi è stato spiegato **con** chiarezza.

* Ho letto quel documento **con** estrema attenzione.

* Se avrai bisogno, ti aiuterò **con** tutto il cuore.

* E' antipatico: guarda tutti dall'alto in basso **con** aria di superiorità.

* E' uscito **con** il pretesto (**con** la scusa) di comprare le sigarette.

* Anche se non ha i soldi, prenda pure quello che Le serve, pagherà **con** comodo.

* Se devo dire la verità, non stai bene **con** quel trucco così pesante.

* Devo constatare **con** amarezza che non segui mai i miei consigli.

* Noto **con** piacere che cominci a studiare seriamente.

* Ricordati sempre di guidare **con** prudenza.

* Per ottenere buoni risultati, devi lavorare **con** impegno e **con** passione.

* Gli occorreva del denaro: l'ha avuto **con** l'obbligo di restituirlo entro 30 giorni.

* Parla **con** il tipico accento del suo paese.

QUALITA'

* Ha comprato un paio di scarpe **con** il tacco alto.

* Lo riconoscerai sicuramente: è un signore **con** i capelli bianchi e con una giacca a vento azzurra.

* Un celebre pittore italiano ha dipinto solo donne **con** il collo lungo.

* Mi dia, per favore, un quaderno **con** la copertina di plastica.

* Ho ordinato una giacca di lana **con** le rifiniture in pelle.

* L'ho sempre vista **con** i capelli lunghi, ora, **con** i capelli corti, non mi sembra più lei.

* Ho comprato una macchina **con** il cambio automatico.

CIRCOSTANZA CONCOMITANTE, TEMPORALE, CAUSALE

* Sono preoccupato perché si è messo in viaggio **con** la pioggia.

* Si è raffreddato perché si è addormentato **con** le finestre aperte.

* E' pericoloso guidare **con** la nebbia.

* **Con** il primo del mese prossimo, inizierò il mio nuovo lavoro.

* Dove sei andato ieri sera **con** quel tempaccio?

* **Con** il tramonto, l'aria è diventata più fresca.

* **Con** tutte le difficoltà che mi hai elencato, preferisco rinunciare.

* **Con** i tempi che corrono, la vita è difficile per tutti.
* Non può uscire perché è a letto **con** l'influenza.
* **Con** il ritorno di suo padre, tutto si aggiusterà.
* **Con** le tante esigenze che ha, si troverà male nella vita.
* **Con** questo freddo, gelerà tutto.
* Non preoccuparti, **con** il tempo, potrai risolvere la tua situazione.
* **Con** tutto questo rumore, non è facile concentrarsi.
* **Con** il suo carattere aperto, è simpatico a tutti.
* **Con** quel buio non si vedeva niente!

RELAZIONE - PARAGONE

* Sono in buoni rapporti **con** tutti: non litigo mai **con** nessuno.
* Non tutti sono pazienti **con** i bambini.
* Sii gentile **con** tua sorella.
* Il professore è in contatto **con** molti suoi ex-studenti.
* Non è possibile paragonare la nostra casa **con** la sua.
* Gli anziani amano confrontare il presente **con** il passato.
* Per i suoi insuccessi, dovrebbe prendersela **con** se stesso, non **con** gli altri.
* Dopo la conferenza, tutti si sono congratulati **con** il ministro.
* Si è lamentato (si è lagnato) **con** me per non essere stato invitato alla festa.
* Si è impegnto **con** i suoi clienti a consegnare la merce entro e non oltre la fine del mese.
* Si vanta **con** tutti delle sue nobili origini.
* Lo studente si è scusato (si è giustificato) **con** il professore per il ritardo.

* Avrebbe bisogno di parlare, ma non ha **con** chi sfogarsi.

* E' inutile che dici di aver fatto il tuo dovere: **con** me non puoi fingere!

* Devi convenire **con** noi che stavolta abbiamo ragione in pieno.

SITUAZIONE CON VALORE CONCESSIVO E CONSECUTIVO

* **Con** tutto che non mi conoscessero, mi hanno ricevuto gentilmente.

* **Con** tutti i suoi soldi, non è felice.

* **Con** tutta la sua intelligenza e cultura, non ha successo.

* Non so come fa ad essere così sereno, **con** tutti i suoi guai.

* **Con** tutti gli sforzi che faceva, non riusciva a vincere la sua timidezza.

* **Con** tutta la sua preparazione, è stato bocciato.

* **Con** tutti i difetti che ha, non mi è antipatico.

* **Con** tutto che sia guarito, non esce mai di casa.

* **Con** tutte le arie che si dà, non è nessuno.

* **Con** tutta la gente che conosce, è sempre solo come un cane.

* **Con** tante ricchezze, cerca di risparmiare su tutto.

* **Con** mia grande gioia, alla fine se n'è andato.

* Nonostante io l'avessi ripetutamente invitato, **con** mio grande stupore, ha sempre rifiutato.

* **Con** mio grande dispiacere, ho capito che non mi ama più.

INFINITO PRECEDUTO DALLA PREP. CON
(fa le veci del gerundio)

* **Con lo sbagliare** si impara.

* Dovresti cominciare **con il parlargli** in modo più gentile.

* **Con** (1) **il passare** del tempo, vedrai che diventerò più maturo e responsabile.

* Il troppo lavoro ha finito **con l'esaurirlo.**

* **Con il leggere,** si imparano molte cose.

* Ha terminato il suo discorso **con il ringraziare** i presenti.

* Il professore inizia sempre la sua lezione **con il salutare** gli studenti.

* Ha aperto i lavori del convegno **con il presentare** i vari oratori.

* Ha concluso **con il dire** a chiare note che la proposta non gli interessava.

* Abbiamo reso più interessante la gita **con l'aggiungere** una escursione ad Ischia.

* **Con l'insistere,** spesso si ottiene quello che si vuole.

* **Con il fare ciò,** si è creato molte antipatie.

FRASEOLOGIA

* Ha molti debiti, non sa come pagarli, **è veramente con l'acqua alla gola.**

* Nell'esercizio ci sono moltissimi errori: **è fatto con i piedi** (malissimo).

* Non è sempre il massimo della saggezza **prendere due piccioni con una fava.**

(1) Invece di *con il,* spesso si usa la preposizione articolata *col.*

* Non fai niente: non lavori e non studi, ti pare bello stare tutti i giorni **con le mani in mano?**

* Hai intenzione di organizzare una festa principesca e speri di spendere pochissimo? E' il caso di dire che vorresti **fare le nozze con i funghi.**

* E' una persona fortunata che ha avuto tutto dalla vita, è veramente **nato con la camicia.**

* **Prendere una persona con le buone** significa usare verso di lei o verso di lui dolcezza e persuasione.

* Paolo credeva di aver conquistato quella ragazza, ma quando ha saputo che lei si era fidanzata con un altro, **è rimasto con un palmo di naso** (deluso).

* Non capisco perché quell'uomo mi guarda sempre **con la coda dell'occhio** e non direttamente.

* Devi credermi, non dico bugie, ti sto parlando **con il cuore in mano** (con grande sincerità e calore).

* Non ha il minimo spirito di iniziativa, fa solo e sempre ciò che fanno gli altri: è un tipo che, come si dice con una colorita espressione popolare, **sta coi frati e zappa l'orto.**

* Quando visito una città, difficilmente uso l'automobile o prendo l'autobus, per ammirarla meglio preferisco **viaggiare con il cavallo di S. Francesco** (andare a piedi).

* Nella tua nuova e difficile attività devi **andare con i piedi di piombo,** cioè agire con prudenza e cautela, riflettendo bene prima di prendere qualsiasi decisione.

* **Non tutte le ciambelle vengono con il buco** è una espressione usata per dire che le cose che facciamo non sempre sono come avremmo desiderato che fossero.

* Era sicuro che l'avrebbe conquistata con facilità, invece è **rimasto con un pugno di mosche in mano.**

Preposizione **DA**

La preposizione **DA** si usa per indicare:

* Punto di partenza (origine, provenienza, separazione, allontanamento, distanza).

* Agente - Causa efficiente.

* Moto a Luogo.

* Stato in Luogo.

* Tempo continuato.

* Fine o Scopo.

* Valore, Prezzo, Qualità.

* Causa.

* Mezzo.

* Elemento Predicativo (spesso coincide con l'avverbiale di modo).

Si presentano inoltre:

a) Aggettivi che reggono la preposizione DA.

b) DA + Infinito per introdurre proposizioni consecutive, finali e per indicare necessità e obbligo.

c) Fraseologia.

PUNTO DI PARTENZA
(origine, provenienza, separazione, allontamento, distanza)

* **Da** dove venite? Veniamo **da** Monaco.

* Il treno è partito **da** Roma con un'ora di ritardo.

* Hanno avuto queste informazioni **da** un loro amico.

* Spera di ricevere presto i soldi **da** casa.

* E' nobile, discende **da** un'illustre famiglia.

* **Da** quella vendita ha ricavato molto denaro.

* Silvana abita molto lontano **da** Firenze.

* Mia moglie torna sempre molto tardi **da** scuola.

* Oggi ho ricevuto un bellissimo regalo **da** Giovanna.

* Si è separata **da** suo marito per incompatibilità di carattere.

* E' riuscito a fuggire **dalla** prigione varie volte.

* Togli tutta la roba **dalla** scrivania!

* Ho appreso questa notizia **dalla** televisione (**dalla** radio).

* L'ho osservata attentamente **dalla** testa ai piedi.

* **Dalla** terrazza dell'Università si può vedere Assisi.

* Quando ricevo una lettera, stacco sempre il francobollo **dalla** busta.

* Si è suicidato buttandosi **dalla** finestra.

* L'Adriatico separa l'Italia **dalla** Jugoslavia.

* Per andare **dalla** stazione al centro, di solito prendo l'autobus.

* Dissento **dalla** tua opinione!

* Gli ho prestato i soldi ed è scomparso **dalla** circolazione.

* Bisogna distinguere il buono **dal** cattivo.

* E' stato sospeso **dal** suo lavoro per 2 mesi.

* Sono stati espulsi **dal** paese di cui erano ospiti.

* Quando studia non alza mai gli occhi **dal** libro.

* La città dista pochi chilometri **dal** confine.

* E' uscita **dal** negozio piena di pacchi.

* E' stata esclusa **dal** concorso perché la documentazione era incompleta.

* Ho parcheggiato la macchina a pochi passi **dal** centro.

* Guardati **dal** fumare troppo!

* Il mio avvocato esce **dallo** studio molto tardi.

* Gli studenti di questo corso vengono tutti **dallo** stesso paese.

* E' sempre in forma: ciò deriva **dallo** sport che pratica giornalmente.

* Ha ereditato una fortuna **dallo** zio.

* Se ne sono andati **dallo** stadio prima che la partita finisse.

* La Repubblica di S. Marino è separata **dallo** Stato Italiano.

* Da poco è stato dimesso **dall'**ospedale.

* Ho seguito con interesse questa storia **dall'**inizio alla fine.

* Ho tradotto un libro **dall'**inglese.

* Prima di uscire ho preso il cappotto **dall'**armadio.

* Quando sono scesa **dall'**aereo, ho trovato i miei amici ad aspettarmi.

* Se ne è andato **dall'**albergo senza aspettarmi.

* **Dall'**assemblea è emersa la volontà di cambiare.

* Ho preso il suo indirizzo **dall'**elenco telefonico.

* **Dall'**esilio mandò molte lettere a tutti i suoi cari.

* Il carbone si estrae **dalle** miniere.

* Che cosa si può dedurre **dalle** tue parole?

* E' stato sospeso **dalle** lezioni.

* **Dalle** sue valige depositate alla stazione, sono spariti alcuni oggetti di valore.

* Non ho ancora riavuto i dischi **dalle** mie amiche.

* A notte tarda, ci separammo **dai** nostri amici.

* Mi sono liberato **dai** miei impegni.

* Esige **dai** suoi studenti la massima puntualità.

* Gli agricoltori traggono le proprie risorse **dai** prodotti della terra.

* La sua preparazione deriva **dagli** studi fatti.

* Le passioni ci dividono **dagli** altri.

* Oggi la maggior parte del petrolio proviene **dagli** Stati Arabi.

* La sua malattia sembra contagiosa e sarà quindi isolato **dagli** altri malati.

* Si può dedurre la regola **dagli** esempi.

AGENTE, CAUSA EFFICIENTE (1)

* L'ultimo film di Fellini è stato apprezzato **da** tutti.

* Ieri sera sono stata invitata a cena **da** Giovanni.

* In Italia nel 1980 molti paesi del meridione sono stati distrutti **dal** terremoto.

* Alcuni studenti sono stati rimproverati **dal** preside.

* Non è molto preparata per l'esame, ma spera di essere aiutata **dalla** sua compagna di banco.

* I permessi di soggiorno sono rilasciati **dalla** questura.

* La lezione non è stata capita bene **dallo** studente che ti ho presentato ieri sera.

* Il visto non gli è stato concesso **dall'**ambasciata.

* La mia casa in campagna è stata progettata **dall'**architetto Rossi.

* Per il suo comportamento è stato lodato **dai** superiori.

* Pinocchio, il capolavoro di Collodi, è letto **dai** bambini di tutto il mondo.

---

(1) La causa efficiente e l'agente, sempre preceduti dalla preposizione *da*, nella sua forma semplice o articolata, dipendono solo da verbi di forma passiva.

* Questa penna mi è stata regalata **dalle** mie colleghe d'ufficio.

* Quell'attore è ammirato **dalle** donne di tutto il mondo.

* La notizia è stata smentita **dagli** interessati.

* La pratica sarà esaminata, appena possibile, **dagli** organi competenti.

MOTO A LUOGO

* Non posso fermarmi con voi perché devo andare **da** Paola a prendere un libro.

* Ieri sera abbiamo fatto le ore piccole perché alcuni amici stranieri sono venuti **da** noi a cena.

* Non ero a casa perché ho accompagnato una mia amica **dal** dentista.

* Giovedì scorso sono andata **dal** macellaio (1) per comprare la carne, ma il negozio era chiuso per turno.

---

(1) Di solito le parole che finiscono in AIO come del resto i nomi che finiscono in ...ORE (direttore), ...IERE (portiere), ...ISTA (dentista), indicano persone e pertanto richiedono la prep. DA + articolo.

		benzinaio
		calzolaio
		cartolaio
Vado		fiorario
		fornaio
Sono andato, a	**dal**	giornalaio
		lattaio
Andrò		libraio
		macellaio
		tabaccaio

* Ho portato mia figlia **dalla** sarta perché doveva misurare il cappotto.

* Sono ritornata oggi **dalla** parrucchiera perché ieri c'era troppa gente e non potevo aspettare.

* Quando ho saputo che stava male, sono corsa **dallo** zio.

* Ha dei grossi problemi, non riesce ad inserirsi nel nuovo ambiente di lavoro, per questo gli è stato consigliato di recarsi **dallo** psicologo della fabbrica.

* Non mi decido mai ad andare **dall'**otorino, nonostante che il mio solito mal di gola non accenni a passare.

* E' andato **dall'**insegnante per farsi rispiegare l'ultima lezione.

* Quando ha dei problemi si precipita **dall'**amica del cuore a confidarsi.

* Oggi molte donne, prima di un appuntamento importante, si recano **dall'**estetista per essere più belle.

* E' salito **dai** suoi vicini per chiedere un favore, ma non c'era nessuno.

* Stasera, prima di andare a teatro, porteremo i figli **dai** nonni.

* Da che parte vai? Vado **dalle** parti della stazione.

* Se tu dovessi capitare **dalle** nostre parti, telefona subito!

* Per casi particolari, occorre andare **dagli** specialisti.

* Per quel processo, Roberto mi ha mandato **dagli** avvocati di sua fiducia.

STATO IN LUOGO

* Abiti ancora **da** tuo fratello?

* Quando era a Perugia, mangiava sempre **da** un'amica straniera.

* Stavo **dal** fornaio quando mi sono accorto di aver lasciato il portafoglio a casa.

* Mi dispiace, quando sei venuto a casa mia ero **dal** barbiere.

* Sono rimasto a dormire **dalla** nonna, perché c'era lo sciopero dei mezzi di trasporto.

* Dove sono i ragazzi? Sono a ripetizione **dalla** professoressa di inglese.

* Non torno a cena stasera, mi fermo **dallo** zio.

* E' a lezione **dallo** stesso professore dell'anno scorso.

* Mi sono fermato **dall'**editore per discutere alcuni dettagli relativi al mio libro.

* Dov'è la tua macchina? E' **dall'**elettrauto per un controllo.

* Dove hai conosciuto quella ragazza? L'ho conosciuta **dai** Rossi.

* Ho passato le vacanze **dai** parenti di mio marito nella loro casa di campagna.

* Antonella non può uscire la sera perché sta a pensione **dalle** suore.

* Si è sistemata temporaneamente **dalle** sue amiche.

* L'altra sera **dagli** Imperiali ho conosciuto un sacco di gente simpatica.

* Stasera resto a cena **dagli** amici di Antonio.

TEMPO CONTINUATO

* Da quanto tempo abiti in questa città? Ci abito **da** un anno.

* E' nervoso perché aspetta la sua amica **da** un'ora e ancora non si vede.

* Studia l'italiano **dall'**inizio del mese.

* Che fine ha fatto Patrizia? Non la vedo **dai** tempi della scuola.

* Non ho sue notizie **da** quando è partito per Londra.

* Siamo stanchi perché siamo a lezione **dalle** otto.

* Marco abita a Roma fin **dall**'infanzia.

* E' **dal** 1970 che non pubblica niente.

* Dormivo **da** pochi minuti quando il telefono mi ha svegliato.

* Non vado a Firenze **dallo** scorso anno.

* Non apro libro **dagli** esami di aprile.

FINE O SCOPO

* Ho comprato un bel paio di occhiali **da** sole.

* In questi giorni in quel negozio si possono comprare a saldo begli articoli **da** regalo.

* Nella casa dove abito c'è una bella sala **da** pranzo.

* Veste sempre in modo sportivo, credo che non abbia neanche un abito **da** sera.

* La segretaria non sa ancora usare la nuova macchina **da** scrivere.

* Per comprare tutta l'attrezzatura **da** sci, ho speso molto.

* I suoi animali preferiti sono i cani **da** caccia.

QUALITA' - VALORE - PREZZO

* Non preoccuparti, è una cosa **da** niente (**da** poco, **da** nulla)!

* Perugia è una città **dalle** strade strette.

* Ho conosciuto un signore molto simpatico, **dalla** parola facile.

* Presentami quella tua amica **dagli** occhi azzurri e **dai** capelli neri.

* Ho comprato un mini-appartamento **da** 50 milioni.

* Vorrei vedere quella camicia **da** 40.000 lire che è esposta in vetrina!

* Mi dia per favore, un gelato **da** 1.000 lire.

* Non è molto intelligente, ma è una ragazza **dalla** volontà di ferro.

* E' una ragazza **dai** gusti difficili.

* Vado in banca per cambiare una banconota **da** 100.000 lire.

CAUSA

* Accendi subito il termosifone, perché tremo **dal** freddo.

* Oggi andrò in piscina perché si scoppia **dal** caldo.

* Quando suo figlio è caduto, è impallidito **dallo** spavento.

* **Dai** dispiaceri, è invecchiato prima del tempo.

* Quando i ladri sono entrati in banca, un cliente è svenuto **dalla** paura.

* Devo andare subito dal dentista, perché impazzisco **dal** dolore.

MEZZO

* Non giudicare le persone **dalle** apparenze: a volte l'apparenza inganna.

* Al telefono non si è presentata, ma l'ho riconosciuta **dalla** voce.

* **Dall'**accento, ho capito che era straniera.

* Gli uomini si giudicano **dai** fatti e non **dalle** parole.

* Gli ho mandato un pacco **dal** corriere.

* E' un documento riservato, te lo invierò **da** una persona di fiducia.

ELEMENTO PREDICATIVO
(spesso coincide con l'avverbio di modo)

* In quell'occasione si è comportato **da** gentiluomo.

* Quando ho avuto bisogno, mi ha trattato **da** amico.

* Carla è molto attaccata a lui perché le ha fatto **da** padre.

* Non riesco a capire come possa vivere **da** principe con un lavoro come il suo.

* A Carnevale si è vestito **da** pirata.

* Non voglio mostrarmi **da** meno di te.

* Lavora giorno e notte, fa una vita **da** cani.

* E' insopportabile, parla sempre **da** maestro.

* **Da** bambino facevo collezione di francobolli.

* Quando verrai a Perugia ti farò **da** guida (**da** cicerone).

* **Da** grande, mio fratello farà il medico.

* E' incredibile, quello che mi hai raccontato sono cose **da** pazzi!

* **Da** studente, non avevo problemi e mi divertivo molto.

* In quell'occasione, mi dispiace dirtelo, ma ti sei comportato proprio **da** idiota!

AGGETTIVI CHE REGGONO LA PREP. DA

* E' tutto di un pezzo; è **alieno da** qualsiasi compromesso.

* E' un uomo **differente da** tutti.

* Io la penso in modo **diverso da** te.

* Sono pochi i beni **esenti da** tasse.

* Per essere assunti in un impiego statale, è necessario essere **immuni da** difetti fisici.

* E' molto giovane, ma già desidera essere **indipendente dalla** famiglia.

* Accetto volentieri il tuo invito: stasera sono **libera dai** soliti impegni.

* Ciò che dici non è poi molto **lontano dal** vero.

* E' molto stanco perché **reduce da** un lungo viaggio.

DA + INFINITO

(per introdurre proposizioni consecutive, finali e per indicare
necessità e obbligo)

* Sono tanto stanca **da non capire** più il senso delle sue parole.

* Perché non dici niente? Sei così confuso **da non trovare** parole per rispondermi.

* Ero così stanco **da non reggermi** in piedi.

* Chi è così gentile **da accompagnarmi** a casa?

* In quel piccolo locale c'è tanto fumo **da soffocare.**

* E' stato così cortese **da ospitarmi** a casa sua.

* E' tanto buono **da passare** per stupido.

* L'argomento è tanto chiaro **da non richiedere** nessuna spiegazione.

* Vuoi qualcosa **da mangiare o da bere?**

* Dopo la festa c'erano tanti piatti e tanti bicchieri **da lavare.**

* A Perugia, ci sono molte camere **da affittare.**

* Per favore, prestami un libro **da leggere.**

* Più lo conosco e più penso che sia un uomo **da ammirare.**

* E' abbastanza grande e maturo **da capire** la condizione in cui si trova.

* C'è **da vergognarsi** pensando a ciò che hai fatto!

* Oggi ho consegnato alla mia segretaria un mucchio di lettere **da spedire.**

* C'era tanto rumore **da non poter dormire.**

* Non c'è più niente **da fare.**

* Non va mai al cinema perché ha tanto **da studiare.**

* In quella casa c'è tanta confusione **da diventare matti.**

* E' talmente innamorato **da non lasciarla** un attimo.

* E' tanto preciso **da diventare** pignolo.

* Sicuramente è una persona **da non dimenticare.**

* Francesco è una persona **da incoraggiare.**

* Ti consiglio di non andare in quel circolo, è un ambiente **da non frequentare.**

* Ognuno di noi ha diritti **da difendere,** ma anche doveri **da assolvere.**

* Guadagna tanto, **da vivere** agiatamente.

* Perché non vieni con noi? Che cosa hai **da fare?**

* La virtù è sempre **da ammirare.**

FRASEOLOGIA

* Su, **da bravo,** fa subito quello che ti dico!

* **Si è fatto da parte** quando ha capito che non era più necessaria la sua presenza.

* E' emigrato e nel nuovo paese ha dovuto **ricominciare tutto da capo.**

* **Chi fa da sé fa per tre.**

* Quando torna da scuola, mi racconta quello che ha fatto **dall'a alla zeta.**

* Quell'uomo **si è fatto da solo.**

* E' di modeste condizioni economiche: **si toglie il pane dalla bocca** per far studiare il figlio e per non fargli mancare niente.

54

* Quando non ti piacciono le cose che ti dico, fai finta di non sentire e **fai orecchie da mercante.**

* Ho tanto da fare che **non so da dove cominciare.**

* Si trovava in una situazione difficile e adesso è in una peggiore: **è proprio caduto dalla padella nella brace.**

* Non sapeva niente e quando gli ho comunicato la notizia è **caduto dalle nuvole.**

Preposizione **DI**

La preposizione **DI** si usa per indicare:

* Specificazione - Specificazione partitiva - Denominazione.

* Partitivo.

* Origine - Provenienza.

* Mezzo - Strumento - Materia.

* Paragone nel comparativo di maggioranza e minoranza; Partitivo o Relazione nel superlativo relativo.

* Causa.

* Limitazione.

* Modo o Maniera.

* Argomento.

* Tempo determinato - Durata - Età.

* Quantità (Peso - Prezzo - Stima - Misura).

* Passaggio da una condizione ad un'altra, da un luogo ad un altro in correlazione con la prep. In.

Si presentano inoltre:

a) Aggettivi ed avverbi che, di solito, reggono la prep. DI.

b) Verbi che possono essere seguiti da DI + Infinito.

c) Fraseologia.

SPECIFICAZIONE - SPECIFICAZIONE PARTITIVA DENOMINAZIONE

* Oggi, per la prima volta, Giovanni ha fatto un buon compito **di** italiano.

* In questo particolare momento, Giulia ha molto bisogno **di** affetto.

* Nella vetrina **di** quel negozio, sono esposti molti bei vestiti.

* Al mercato si trovano vari tipi **di** frutta.

* Ieri ho visto il fratello **di** Paolo che passeggiava con una bella ragazza.

* Ho avuto tanti insegnanti, ma ricordo sempre con stima e simpatia il mio professore **di** storia al liceo.

* Dalla torre Eiffel si gode una bella vista **di** Parigi.

* La regina **d'**Inghilterra è molto famosa e amata nel suo paese.

* Durante il suo soggiorno in Spagna, Luigi ha potuto ammirare quasi tutta la produzione artistica **di** Picasso.

* Tutti gli stranieri devono visitare, almeno una volta, la città **di** Venezia.

* Il clima **d'**Italia è fra i più temperati.

* La casa cambia aspetto quando entra un raggio **di** sole.

* Ho letto tutti i libri **di** Hemingway.

* L'isola **di** Malta si trova a sud dell'Italia.

* Nel bazar si trova un po' **di** tutto.

* C'è qualcosa **di** vero in quello che dici.

* Ho bisogno di un po' **di** aria fresca.

* Molte donne considerano ancora il matrimonio lo scopo principale **della** vita.

* Tutti devono avere cura **della** propria persona.

* Il marito **della** mia amica è molto simpatico.

* Ancora oggi non abbiamo risolto il problema **della** pace nel mondo.

* Ieri mattina ho parlato con il direttore **della** banca perché volevo aprire un conto corrente.

* L'osservanza **della** legge è un dovere di tutti i cittadini.

* La riforma **della** scuola italiana è al centro di molti dibattiti.

* Non avere timore: il momento **della** verità arriva per tutti.

* La finestra **della** mia camera guarda sul Corso.

* Il libro che sta scrivendo è il risultato **della** sua esperienza di lavoro.

* Devo controllare i freni **della** macchina.

* Quando lavoriamo, i giorni **della** settimana passano in fretta.

* Il risultato **del** mio ultimo esame è stato positivo.

* Non riesco proprio a spiegarmi il motivo **del** suo comportamento.

* Ho seguito scrupolosamente le indicazioni **del** dottore.

* Qualche volta si può capire una persona dall'espressione **del** viso.

* Quello che hai fatto è stato una dimostrazione **del** tuo coraggio.

* Ultimamente è aumentato anche il prezzo **del** pane.

* Non l'ho ancora finito, sono arrivato a leggere solo un quarto **del** romanzo.

* Quando andavo a scuola non mi piaceva studiare la storia **dell**'arte.

* Sono molti, ma sempre gli stessi, i problemi **dell**'età giovanile.

* Se il viaggio non fosse molto costoso, mi piacerebbe visitare i paesi **dell**'America Latina.

* Abbiamo l'abitudine di festeggiare l'ultimo giorno **dell**'anno in famiglia.

* Il verde ed il marrone sono i colori **dell**'autunno.

* Non sempre, ma, qualche volta, crediamo che sia giusto seguire gli impulsi **dell**'istinto.

* Quando parto, lascio sempre le chiavi **dell**'appartamento a mio padre.

* Non ricordo la marca **dell'**orologio che ho regalato a Gaia.

* L'impiegato **dell'**ufficio informazioni è molto gentile.

* La scenografia **dello** spettacolo musicale che ho visto al teatro Morlacchi era stupenda.

* Sono molti i benefici **dello** sport.

* I cittadini subiscono i disagi **dello** sciopero.

* La macchina **dello** zio di Luisa costa 7 milioni.

* Il benessere è un effetto **dello** sviluppo industriale.

* La domenica mattina mi sveglio al suono **delle** campane.

* Il traffico **delle** maggiori città italiane è caotico.

* Perché non mi scrivi più? Aspetto sempre con ansia l'arrivo **delle** tue lettere.

* Essere gentili è un dovere **delle** persone che stanno al pubblico.

* Hai un linguaggio strano: non è facile per me capire il senso **delle** tue frasi.

* Quel film è autobiografico; infatti è il frutto **delle** esperienze personali del regista.

* Leggo sempre con interesse la pagina **degli** annunci economici.

* E' stato pubblicato su tutti i giornali l'identikit **degli** assassini.

* Per il successo di uno spettacolo è indispensabile l'impegno **degli** attori.

* L'analisi contrastiva studia la natura **degli** errori.

* Ogni giorno il professore deve fare la correzione **degli** esercizi.

* Tutti attendevano con impazienza l'arrivo **degli** sposi.

* Il ministro **degli** Esteri ha concluso un accordo con gli Stati Arabi.

* Guardare la televisione è il passatempo preferito **dei** bambini.

* Il linguaggio **dei** politici è spesso fumoso ed incomprensibile.

* Non sempre le colpe **dei** padri ricadono sui figli.

* E' affascinante l'interpretazione **dei** sogni.

* La pazienza è la virtù **dei** forti.

PARTITIVO

* Ha comprato **della** stoffa per fare una camicia.

* La mattina a colazione mangio solo **della** frutta di stagione.

* Al bar faccio mettere sempre **del** latte nel caffè.

* A casa di amici italiani ho bevuto **del** buon vino.

* Cameriere, mi porti **dello** zucchero, per favore.

* Ho dato **dello** sciroppo al bambino perché aveva la tosse.

* Per piacere, metta **dell'**acqua nella caraffa e la porti a tavola.

* Fa sempre **dell'**ironia fuori luogo e diventa antipatico.

* Prima di metterti a tavola, prendi **dell'**olio e **dell'**aceto per condire l'insalata.

* Non possiamo uscire perché aspettiamo **dei** parenti da Roma.

* A Firenze ho comprato solo **dei** libri.

* Ha **delle** buone idee, ma non riesce mai a concretizzarle

* Paolo mi ha presentato **delle** amiche italiane.

* Ha fatto **degli** studi seri.

* In treno, ho incontrato **degli** inglesi e **degli** americani diretti a Perugia per studiare l'italiano.

ORIGINE - PROVENIENZA

* In aula ci sono molti studenti greci, tutti sono **di** Atene

* Pur essendo **di** umili origini, è diventato ricco ed importante.

* Dal suo accento si capisce che è nativo **della** Sicilia.

* Quel tuo amico **degli** Stati Uniti (**dell'**Iran, **dell'**Argentina, **del** Belgio, **della** Germania, **dei** Paesi Bassi) è poi venuto a trovarti?

MEZZO - STRUMENTO - MATERIA

* Lorenzo, che cosa hai fatto **di** tutto il denaro che ti ho dato ieri?

* L'ho rimproverato perché ha sporcato tutta la tovaglia **di** vino.

* E' tanto innamorato di quella ragazza che la colmerebbe **d'**oro.

* Oggi molti oggetti sono **di** plastica.

* Ha riempito la sua casa **di** mobili antichi.

* Abbiamo litigato, ci siamo ricoperti **di** insulti: tutto è finito tra noi.

* Per quelle sue affermazioni, si è coperto **di** ridicolo.

* Il dolce era ricoperto **di** cioccolata.

* Ha una educazione borghese, gli hanno imbottito il cervello **di** pregiudizi.

PARAGONE nel comparativo di maggioranza e minoranza; Partitivo o Relazione nel superlativo Relativo

* Parla l'italiano meglio **di** tutti noi.

* Mio fratello è più giovane **di** me.

* Ho un bell'appartamento, ma pago più **del** normale.

* Stamattina sono arrivato in ritardo perché mi sono alzato più tardi **del** solito.

* E' la ragazza più intelligente **della** classe.

* Quelli che abbiamo visitato sono i musei più belli **della** città.

* Non ho visto la parte più interessante **dello** spettacolo.

* Il Presidente della Repubblica è la persona più rappresentativa **dello** Stato Italiano.

* Molti dicono che l'italiano sia più difficile **dell'**inglese.

* La pace è stato uno dei temi più discussi **dell**'anno passato.

* Antonio è il migliore **dei** miei amici.

* Per la festa di stasera, Maria indosserà il più elegante **dei** suoi vestiti.

* Grazia è la più simpatica **delle** ragazze che ho conosciuto.

* Niente è migliore **delle** vacanze dopo un periodo di duro lavoro.

* E' senza dubbio l'avvenimento più importante **degli** ultimi tempi.

* A Perugia, la maggior parte **degli** studenti stranieri mangia alla mensa.

CAUSA

* Quel poveruomo è morto **di** stenti (**di** fame, **di** freddo, **di** crepacuore).

* Ha fatto salti **di** gioia appena uscito dall'esame.

* E' impazzita **di** dolore.

* Davanti a quel professore gli studenti tremavano **di** paura.

* La bambina piangeva **di** rabbia perché non riusciva a trovare la sua bambola preferita.

* In questa cittadina non c'è niente da fare, si muore **di** noia.

* Quando vedrà la tua nuova pelliccia, scoppierà **di** invidia.

* Dovresti arrossire **di** vergogna per quello che hai fatto.

LIMITAZIONE

* Il nuovo professore è bravo, ma manca **di** esperienza.

* Il mio amico ha comprato un bel cappotto, ma gli sta stretto e corto **di** manica.

* Una persona che soffre **di** cuore deve fare una vita calma e senza preoccupazioni.

* Claudio non ha fatto il servizio militare perché è debole **di** vista.

* Non lavora perché è cagionevole **di** salute.

* E' un tipo semplice, si accontenta **di** poco.

* Non ho mai privato mio figlio **di** niente.

MODO

* Nonostante i miei consigli, ha fatto tutto **di** testa sua.

* Era **di** buon umore perché aveva ricevuto il denaro da casa.

* E' un piacere invitarlo, mangia sempre **di** buon appetito ciò che si cucina.

* Non posso fermarmi con te al bar perché vado **di** fretta.

* E' arrivato **di** corsa a lezione.

* In Italia di solito le spose vestono **di** bianco e le vedove **di** nero.

* Si è alzato **di** scatto e se ne è andato senza salutare nessuno.

* Non mi piace quell'individuo: fa tutto **di** nascosto.

* Ha agito **d'**istinto, senza rifletterci.

* Oggi è meglio non parlare con il direttore, è **di** cattivo umore.

ARGOMENTO

* Hanno discusso a lungo **di** politica.

* In quel giornale si può leggere **di** tutto.

* Ha scritto un importante trattato **di** fisica.

64

* Con le signore che sono venute da me, ho parlato solo **di** cose futili.

* Il libro che sto leggendo tratta **delle** condizioni economiche dell'Europa dopo la seconda guerra mondiale.

* Al bar si chiacchiera **del** più e **del** meno.

* E' un genio, sa veramente **di** tutto.

* Non va mai al concerto perché non si intende **di** musica.

* Fai sempre molte domande inopportune! Perché non ti interessi **degli** affari tuoi?

* E' veramente un signore: non l'ho mai sentito parlare male **di** qualcuno.

* Nessuno mi ha informato **degli** ultimi avvenimenti.

* Cerco di rassicurarlo, ma dubita fortemente **delle** mie parole.

* Dice sempre bene **delle** cose che faccio.

TEMPO DETERMINATO - DURATA - ETA'

* Mia moglie va in vacanza **d'**estate, io ci vado **d'**inverno.

* Non viaggio mai **di** notte, preferisco guidare **di** giorno.

* **Di** pomeriggio non so che cosa fare.

* In campagna la gente si alza **di buon'ora.**

* **Di** buon mattino ci siamo messi a studiare.

* Ho ascoltato un'interessante conferenza **di** un'ora.

* Abbiamo fatto una passeggiata **di** mezz'ora.

* Ho una bambina **di** sei anni.

* Non saprei darle un'età, potrebbe essere una donna **di** 40 anni come **di** 50 anni.

QUANTITA' (Peso - Prezzo - Stima - Misura)

* Sono andato a pesca, ho preso un pesce **di** 2 kg.

* Ha comprato un quadro **di** gran valore.

* In Italia c'è una rete stradale **di** migliaia di chilometri.

* Quel ragazzo erediterà una fortuna **di** miliardi.

* Intorno alla casa ha fatto costruire un muro **di** 50 metri.

* La torretta supera **di** quasi due metri il resto della villa.

PER INDICARE PASSAGGIO DA UNA CONDIZIONE AD UN'ALTRA, DA UN LUOGO AD UN ALTRO IN CORRELAZIONE CON LA PREPOSIZIONE IN.

* Mi trovo bene a Perugia, dopo le prime difficoltà va tutto **di bene in meglio.**

* E' pessimista e teme che la situazione possa andare **di male in peggio.**

* Il postino passa **di casa in casa** per consegnare la posta.

* Vai spesso al cinema? No, ci vado solo **di quando in quando.**

* Per il suo lavoro è costretto a girare **di città in città.**

* Mi è sempre piaciuto andare **di paese in paese** per conoscere usi e abitudini diverse.

* Quando ritornerà da Firenze? Presto, lo aspettiamo **di ora in ora (di giorno in giorno).**

(1) AGGETTIVI ED AVVERBI CHE, DI SOLITO, REGGONO LA PREPOSIZIONE DI.

* Quel libro è **abbondante di** citazioni.

* Molti sono **avidi di** soldi e di onori.

* E' una persona **bisognosa di** affetto.

* E' **capace di** tutto.

* Sono assolutamente **certo delle** mie idee.

* Sei **certo di** aver capito bene?

* E' stato dichiarato **colpevole di** molti reati.

* Sono **colpevole di** non essere abbastanza severo con i miei figli.

* La mia macchina è costata 10 milioni, **completa di** accessori.

* Siamo **contenti di** vivere a Perugia.

* Sono **contento della** famiglia con cui abito.

* E' una donna **debole di** carattere e **delicata di** salute.

* Sono poche le persone **degne di** stima.

* Non sei **degno di** allacciarmi le scarpe.

* E' un uomo **esperto** di problemi scolastici.

* Sono **desideroso di** pace e di tranquillità.

* Sono **felice di** fare la sua conoscenza.

* Siamo **felici del** tuo successo.

* Sono **gelosa della** mia vita privata.

* Non potrà mai dimagrire perché è troppo **golosa di** dolci.

* Ti sarò sempre **grata dell'**aiuto che mi hai dato.

* Alla festa, **invece di** Maria, è venuta sua sorella.

* Non sono **invidioso di** nessuno.

_____

(1) Sono stati scelti e presentati in ordine alfabetico gli aggettivi compresi entro le 2725 parole del « *Vocabolario Fondamentale della Lingua Italiana* » di G. Sciarone.

* Siamo veramente **lieti di** rivederti.

* Sono **lieta della** sua promozione a direttore.

* Non fare attenzione a ciò che dice, è **malato di** nervi.

* Oggi sto **meglio di** ieri.

* E' **migliore** (peggiore) **di** te.

* Sono **maggiore (minore) di** lui.

* Quest'anno ho guadagnato **meno di** quanto pensassi.

* E' **pazzo di** gelosia.

* All'Università per Stranieri le aule sono sempre **piene di** studenti.

* Non può andare **peggio di** così.

* Mangia sempre **più di** me.

* L'Italia è **povera di** materie prime.

* Le sue frasi sono **prive di** logica e di senso.

* Ciascuno deve essere **responsabile delle** proprie azioni.

* L'Italia è **ricca di** bellezze naturali.

* E' **sano di** mente.

* E' tanto **sicuro di** sé che sembra presuntuoso.

* Sono **sicura di** aver fatto bene l'esercizio.

* E' tornato dalla campagna **sporco di** fango.

* Sono **stanco di** ripetere sempre le stesse cose.

* Sono **stanco delle** tue lamentele.

* I ladri sono **svelti di** mano.

* Il risotto alla milanese è un piatto **tipico della** Lombardia.

* In questo momento mi sento **vuoto di** idee.

(1) **VERBI che possono essere seguiti da DI + infinito.**

* **Ha accettato** subito **di fare** ciò che le ho chiesto.

* **Si è accorto** immediatamente **di avere sbagliato.**

* Non voglio tutta la verità, **mi accontenterei di sapere** solo quello che mi riguarda.

* Mia moglie mi **accusa** sempre **di avere** le mani bucate (di spendere troppo).

* **Afferma di avere detto** la verità.

* Non volle ascoltarmi più, **aggiungendo di avere capito** già tutto.

* **Ha ammesso di essersi comportato** male.

* Sono particolarmente euforico: **ho** appena **appreso di avere superato** un difficile esame scritto.

* Da un giorno all'altro **aspetta di essere assunta** in quella fabbrica.

* Nell'ultima riunione, il Sindaco **ha assicurato di avere capito** il problema e di volerlo risolvere in tempi brevi.

* **Ti auguro di trascorrere** una bella vacanza.

* Per l'ultima volta ti **avverto di non dire** più quelle parolacce.

* Partiamo in macchina e **calcoliamo di arrivare** a Roma verso le 8.

* **Non capita** tutti i giorni **di incontrare** persone interessanti.

* In quell'occasione **ho cercato di fare** del mio meglio.

* Quando **cesserai di dire** bugie?

* Ti **chiedo di perdonarmi.**

* Il suo superiore gli **comandò** per telefono **di presentarsi** entro mezz'ora.

* Ci dispiace **comunicarvi di non aver potuto** spedire le merci come d'accordo.

---

(1) Sono stati scelti e presentati in ordine alfabetico i verbi compresi entro le 2725 parole del « *Vocabolario Fondamentale della Lingua Italiana* » di G. Sciarone.

* I genitori italiani di solito **concedono** ai bambini **di guardare** la televisione fino alle 21.

* Il Comune non mi **ha concesso di ristrutturare** la mia vecchia casa.

* **Ha confermato di non aver cambiato** idea.

* **Non confesserà** mai **di amare** quella ragazza.

* I miei impegni di lavoro non **mi consentono di fare** un lungo viaggio all'estero.

* **Mi ha consigliato di vedere** quel film.

* Con i soldi della tredicesima **conto di cambiare** la macchina.

* Ha comprato un ettaro di terreno in collina **credendo di fare** un affare.

* **Ha deciso di partire** all'ultimo momento come, del resto, fa sempre.

* **Dichiara di votare** per un partito di sinistra, ma, conoscendolo bene, è difficile crederci.

* **Ho dimenticato di telefonare** a casa.

* All'esame **ha dimostrato di non conoscere** bene la materia.

* E' possibile che quando ti invito, **dici** sempre **di essere occupato?**

* Nonostante le gravi condizioni, i medici non **disperano di salvarlo.**

* Ha ancora molto da fare, **dubita di poter finire** il lavoro come sperava.

* Non so perché ma, negli ultimi tempi, **evita di salutarmi.**

* **Ha finto di capire** per non fare una brutta figura.

* Non **si finisce mai di imparare.**

* Gli **ho garantito di sostenere** la sua candidatura.

* In tribunale tutti devono **giurare di dire** la verità.

* **Immaginate** per un momento **di essere** in vacanza.

* Il rumore mi **impedisce di concentrarmi.**

* Mi **è stato imposto di partire** anche contro la mia volontà.

* Non ti preoccupare, **si incaricherà** lui **di rispondere** a quella lettera.

* **Si lamentano** sempre **di lavorare molto** e di guadagnare poco.

* Lui **sta meditando di andare** in pensione.

* Il professore **si è meravigliato di vedermi** a lezione.

* **Merita di essere aiutato.**

* Il cielo è grigio, **minaccia di piovere.**

* Continua a **negare di aver detto** una simile sciocchezza.

* Benché quel pittore non fosse molto famoso, **ha ottenuto di partecipare** alla mostra.

* Sono così contento che **mi pare di sognare.**

* Alcuni studenti non vanno a lezione perché **pensano di poterne fare a meno.**

* Non mi **permetterei mai di contraddirti.**

* **Ha precisato di avere già fissato** per il 10 ottobre la data della convocazione.

* **Mi ha pregato di dargli una mano** a tradurre quella lettera.

* **Si preoccupava di mostrarsi** sereno pur tra mille difficoltà.

* Dopo poche lezioni, già **pretenderebbe di parlare** italiano.

* Per quell'ora **prevedono di essere** a casa.

* I ferrovieri **hanno proclamato di scioperare** a oltranza (a tempo indeterminato).

* Ti **proibisco di parlarmi** con questo tono.

* **Ho promesso** ai miei genitori **di laurearmi** quest'anno.

* Per cena, **propongo di andare** in pizzeria.

* Sii prudente, ti **raccomando di non correre** troppo.

* **Racconta di aver girato** mezzo mondo.

* Questo problema **richiede di essere esaminato** attentamente.

* **Devo ricordarmi di comprare** le sigarette.

* Interrogato, **rifiuta di rispondere.**

* **Ha riferito di aver saputo** quelle notizie al bar.

* Se continuerà a non studiare, **rischia di non essere promosso.**

* **Riteniamo di aver fatto** un buon lavoro.

* In quell'occasione **ha rivelato di essere** veramente in gamba.

* Anche se non lo ammetterà mai, **sa di non essere** all'altezza della situazione.

* Nessuno gliel'ha imposto, **ha scelto** lui **di fare** quel lavoro.

* Solo ora **ha scoperto di essere stato ingannato.**

* Ma chi è? Mi **sembra di conoscerlo.**

* **Sforzati di capire,** non è poi così difficile come sembra!

* **Smettete di parlare,** per favore.

* Finalmente ho la casa che **ho** sempre **sognato di possedere.**

* Quando parlo, non **sopporto di essere interrotto.**

* **Sostiene di aver ragione,** ma ha torto marcio.

* **Spero di ricevere** presto tue notizie.

* Carlo e Maria **hanno stabilito di sposarsi** appena laureati.

* Che cosa mi **suggerisci di fare?**

* **Non avrebbe** mai **supposto di arrivare** così in alto.

* Lui cambia argomento perché **teme di annoiarla.**

* Ogni volta che **tento di parlare,** mi toglie la parola di bocca.

* E' ridotto veramente male perché **ha** sempre **trascurato di curarsi.**

* **Si vanta di sapere** fare tutto.

* **Vergognati di parlarmi** così!

FRASEOLOGIA

* L'esercizio è tutto sbagliato, devi **rifarlo di sana pianta** (completamente).

* E' veramente furbo, **ne sa una più del diavolo.**

* Comprando quella costosa macchina sportiva, credo che **abbia fatto il passo più lungo della gamba.**

* Ha nostalgia del suo paese e della sua famiglia; **non vede l'ora di ritornare a casa.**

* Quando ha saputo della bocciatura, **è rimasto di sasso** (di sale, di stucco).

* Marco si è fidanzato con una brava ragazza e non capisco perché sua madre **non la veda di buon occhio.**

* **Le persone che hanno la coda di paglia** non hanno la coscienza tranquilla.

* E' una ragazza sfrontata che non si vergogna di nulla: **ha proprio la faccia di bronzo.**

* Ha appena acquistato la macchina e non l'ha ancora usata: **è nuova di zecca.**

* Non mi piace quest'arrosto, **sa di bruciato!**

* Questa minestra non **sa di niente.**

* E' inaccettabile la sua richiesta, **sa di ricatto.**

* L'insalata che sto mangiando **sa** troppo **di aceto.**

* **Che ne è di** tuo fratello? Non lo vedo da molto tempo.

* Verrai da me stasera?

Credo Penso Suppongo Spero	di	sì
Temo Ho paura		no

* Quando le ho chiesto di venire al cinema, non ha risposto, ma **ha fatto cenno di sì** con il capo.

* Simpatico tuo figlio, anche se **è una peste di bambino!**

* **Che razza d'imbroglione** è quell'uomo!

* Non intendo discutere con **quel matto di** tuo fratello.

* Ho smesso di studiare perché era **ora di pranzo.**

* Sei troppo disordinato, è mai possibile che **lasci sempre tutto di qua e di là?**

* Marco è **di gran lunga** il più intelligente della classe.

* Secondo te, tra studenti, **darsi del tu** va bene?

* Non hanno avuto il tempo di visitare la città perché **erano di passaggio.**

* Quando io parlo, lui **non è mai d'accordo** con me.

* **Siamo del parere** che tu abbia fatto bene a scegliere la facoltà di medicina.

* Sono problemi tuoi, non voglio **andarci di mezzo** io.

* Conservo tutti i miei vestiti perché potrebbero **ritornare di moda.**

* Abbiamo litigato sul serio perché mi **aveva dato del disonesto.**

* Ho incontrato **una donna veramente di classe.**

* La sua posizione è salda e sicura, nessuno potrà fargli del male: è veramente **in una botte di ferro.**

75

Preposizione **FRA** o **TRA**

La preposizione **FRA** o **TRA** si usa per indicare (1):

* Luogo.

* Tempo - Distanza.

* Partitivo.

* Relazione - Reciprocità - Compagnia.

* Causa - Modo.

Si presenta inoltre:

a) Fraseologia.

---

(1) Tra e Fra si usano quasi indifferentemente, tuttavia per ragioni di eufonia talora si usa una forma piuttosto che l'altra; si preferisce **fra** quando la parola che segue comincia con il gruppo consonantico TR, **tra** quando la parola che segue comincia con il gruppo consonantico, FR, es.: Fra tre giorni partirò - Tra fratelli vanno d'accordo.

LUOGO

* Abita in un paesino sperduto **fra** i monti.

* Un grande centro industriale è stato creato **fra** Perugia ed Assisi.

* Quando avrai finito di usarlo, rimetti il dizionario nello scaffale **fra** i libri.

* Molti uccelli fanno i nidi **fra** i rami degli alberi.

* Perugia si trova a metà strada **fra** Roma e Firenze.

* La Svizzera è situata **fra** l'Italia, la Francia, la Germania e l'Austria.

* Ho trovato **fra** i miei appunti la notizia che mi interessava.

* **Fra** l'Italia e la Jugoslavia c'è il mare Adriatico.

* Non trovo più Antonio: è sparito (scomparso) **tra** la folla.

* Ieri, per distendermi, ho fatto una lunga passeggiata a piedi **fra** gli alberi secolari di una magnifica pineta.

* Ha viaggiato molto, ha passato la sua vita **fra** un aereo e l'altro.

TEMPO - DISTANZA

* **Fra** qualche giorno partirò per un lungo viaggio.

* **Fra** oggi e domani il tempo dovrebbe cambiare.

* **Fra** una settimana andrò nel mio paese, ma **fra** due mesi sarò di nuovo qui.

* Sono stanco e **fra** poco, smetterò di studiare.

* Non posso uscire subito, aspetto una telefonata **fra** qualche minuto.

* Ora devo andare, ci vedremo al ristorante **fra** mezz'ora.

* Troverai il prossimo distributore di benzina **fra** dieci km.

* Avrai finito di fare l'esercizio **fra** un'ora?

* Sono quasi pronta, scenderò **fra** pochi istanti.

* Saprò **fra** breve come è andato l'esame.

* Siamo quasi arrivati; **fra** trecento metri c'è casa mia.

* Dov'è la questura? Sulla destra, **fra** cinquecento metri, troverà il palazzo.

* Di solito vado a sciare in montagna **fra** Natale e Capodanno.

* Tieniti pronta: passerò a prenderti **fra** le otto e le nove.

PARTITIVO

* Nessuno di loro mi piace, **fra** tutti non saprei chi scegliere.

* E' il solo **fra** noi (1) (**fra di noi**) che conosce l'inglese.

* Non è facile capire chi sia il più giovane **fra** i due.

* Il cane è forse il più intelligente **fra** gli animali.

* L'onestà è una virtù **fra** le più rare.

* Carol è la più ammirata **fra** le studentesse della mia classe.

* La festa era noiosa e alcuni **fra** loro se ne sono andati alla prima occasione.

* **Fra** i miei vestiti, quello rosso è il mio preferito.

* **Fra** le tante persone presenti ho notato subito lui.

* E' il film più interessante **fra** quelli che ho visto di recente.

* Ha predisposizione per le lingue; è uno **fra** i pochi che parla correntemente inglese, francese e tedesco.

---

(1) **Tra** o **fra**, quando reggono un pronome personale si uniscono spesso con la preposizione **di**.

RELAZIONE - RECIPROCITA' - COMPAGNIA

* Ti confido questo segreto a patto che resti **fra** noi (**fra** di noi).
* Tutti auspichiamo la pace **fra** le nazioni.
* **Tra** fratello e sorella non c'è nessuna somiglianza.
* Tengo la fotografia **fra** i ricordi di famiglia.
* Non arrabbiarti: stiamo parlando **fra** amici.
* Dopo essersi a lungo consultati **fra** loro hanno deciso il da farsi.
* Passo le feste in famiglia, **fra** parenti ed amici.
* Stavolta hanno litigato sul serio: **fra** Luisa e Carlo sembra che tutto sia finito.
* I due fratelli sono molto uniti: si aiutano sempre **fra** loro.
* Lavoriamo bene insieme perché **fra** noi c'è molto affiatamento.
* Non voglio andare a lavorare fuori perché mi trovo bene solo **fra** la mia gente.

CAUSA - MODO

* Finirà con l'ammalarsi definitivamente **fra** fumo ed alcool.
* **Fra** i tanti impegni che ho, non mi rimane mai un minuto libero.
* **Tra** i fischi e le contestazioni, ha dovuto smettere di parlare.
* **Fra** lavoro e studio, se ne va tutta la giornata.
* **Fra** il mangiare e il dormire, ho speso 40.000 lire.
* **Fra** la casa e i bambini, mia moglie non ha mai un attimo di sosta.
* **Fra** l'insegnamento e la libera professione, quel commercialista fa i soldi a palate (guadagna moltissimo).

* **Fra** televisione e radio, il linguaggio dei bambini non ha più niente di spontaneo.

* **Fra** una cosa e l'altra, ho fatto tardi.

* Non lavora: trascorre le sue giornate **fra** il gioco e i suoi « hobbies » preferiti.

* **Fra** lacrime di gioia, mi ha raccontato la sua felice storia d'amore.

* Ha perduto ogni forma di autocontrollo: si esprime sempre **fra** il riso e il pianto.

FRASEOLOGIA

* Non verrò alla vostra festa stasera perché ho molte cose da fare e, **fra l'altro**, non mi sento troppo bene.

* Ha un'espressione indecifrabile **fra il serio e il faceto**.

* A questo punto non ha via d'uscita: **è fra l'incudine e il martello**.

* **Dopo aver pensato** a lungo **fra sé e sé**, decise di accettare.

* Non prende mai una posizione, è sempre **incerto fra il sì e il no**.

* E' difficile capirlo perché **parla** sempre **fra i denti**.

* **Si è messo le mani fra i capelli** non sapendo cosa fare.

* Fortunatamente si è ripreso, ma **è stato** per qualche ora **fra la vita e la morte**.

* Vattene, **non starmi più fra i piedi!**

* Sta tranquilla, penso a tutto io, **dormi pure tra due guanciali**.

* Ogni volta che programmo qualcosa di piacevole, c'è sempre qualcuno che mi **mette il bastone fra le ruote**.

* Nella lettera scrive di trovarsi bene, ma **fra le righe si legge** che soffre di nostalgia.

* « Fra **moglie e marito non mettere il dito** » è un famoso modo di dire italiano.

Preposizione **IN**

La preposizione **IN** si usa per indicare:

* Stato in luogo.

* Moto a luogo.

* Moto per luogo.

* Tempo determinato - Durata nel tempo.

* Modo o Maniera.

* Limitazione - Materia.

* Fine o Scopo.

* Mezzo.

Si presentano inoltre:

a) Infinito sostantivato preceduto da IN (in questo caso fa le veci del gerundio).

b) Espressione Giudicativa.

c) Fraseologia.

STATO IN LUOGO (1)

* Pochi giorni fa c'è stata una rapina **in** banca.

* Non mi piace pranzare **in** cucina, preferisco pranzare **in** salotto.

* Mangio spesso **in** pizzeria (2).

* **In** treno non riesco mai a leggere.

---

(1) Si usa sempre la preposizione **in** con i nomi di nazione al singolare; si usa la preposizione articolata con i nomi di nazione espressi al plurale (es.: negli Stati Uniti, nei Paesi Bassi, ecc.).

(2) I nomi terminati in ...ERIA, che di solito indicano un luogo, richiedono per il moto a luogo e per lo stato in luogo la preposizione semplice IN.

Vado Sono andato/a Andrò	**in**	biglietteria copisteria drogheria gelateria gioielleria latteria lavanderia libreria macelleria merceria oreficeria orologeria pasticceria pelletteria pellicceria pescheria pizzeria profumeria rosticceria segreteria tabaccheria

* Prima dell'esame, si è chiuso **in** camera a studiare.

* Ha passato due anni **in** carcere (**in** galera, **in** prigione), per furto.

* Non gli piace abitare **in** città, preferisce vivere **in** campagna.

* Ho diverse proprietà **in** Sardegna.

* Passo molte ore a studiare **in** biblioteca.

* Di solito, a quest'ora, è **in** ufficio.

* Ha dovuto aspettare **in** segreteria molte ore per fare l'iscrizione.

* **In** aula (**in** classe) ci sono studenti di tutto il mondo.

* Ieri sera **in** discoteca c'era molta gente.

* Ho messo tutti i miei vestiti **nel** guardaroba.

* **Nel** libro di grammatica non ci sono molti esercizi.

* **Nella** mia camera non manca niente: c'è anche il telefono.

* Prima di venire a lezione, ho messo tutti i libri **nella** borsa.

* **Nello** stabilimento della Perugina lavorano molti operai ed impiegati.

* Ci incontriamo sempre **nello** stesso bar.

* **Nell'**ultimo tema che ho svolto in classe il professore non ha corretto quasi niente.

* Mi trovo bene **nell'**appartamento che ho preso in affitto.

* Appena arrivato, ho messo tutta la mia roba **nei** cassetti.

* **Nei** dintorni di Perugia ci sono molte cose interessanti da vedere.

* Prima di partire, ho messo **nelle** valige tutto il necessario per il viaggio.

* **Nelle** università italiane non c'è ancora il numero chiuso.

* **Negli** ospedali lavorano medici ed infermieri.

* Carlo ha studiato l'inglese **negli** Stati Uniti.

MOTO A LUOGO

* Siamo venuti **in** Italia per studiare la lingua italiana.

* Scusa, non posso fermarmi, devo precipitarmi **in** albergo perché aspetto una telefonata molto importante.

* La domenica mattina vado **in** chiesa.

* I ladri sono entrati facilmente **in** casa perché la porta non era chiusa bene.

* Dov'è il tuo amico? E' sceso **in** segreteria a ritirare la tessera.

* E' stato mandato **in** esilio per motivi politici.

* L'ho incontrato mentre si dirigeva **in** fabbrica.

* L'Italia esporta manufatti **in** tutto il mondo.

* Ho accompagnato i miei figli **in** montagna.

* L'autoambulanza ha trasportato il ferito **in** ospedale.

* Molte persone sono accorse **in** piazza per ascoltare il comizio.

* Non ha visto lo scalino ed è caduto **in** terra.

* E' stato condotto **in** questura per accertamenti.

* Ha gettato la cartaccia **nel** cestino.

* Paolo non è riuscito a salire **nel** treno perché era stracolmo.

* Dopo l'intervallo tutti gli studenti sono rientrati **nella** loro aula.

* L'ostaggio è stato trascinato **nella** macchina.

* Ho cominciato ad avere paura appena sono salito **nell'**aereo.

* Non si è ancora trasferito **nell'**appartamento che ha comprato di recente.

* Appena sbarcati **nell'**isola di Capri, sono rimasti affascinati dalla sua bellezza.

* In inverno molti uccelli migrano **nei** paesi caldi.

* La polizia ha fatto irruzione **nei** covi dei brigatisti.

* Non mi piace quell'individuo, ficca sempre il naso **negli** affari degli altri.

* Si è recato **negli** studi della RAI per partecipare ad un dibattito.

* L'Europa invia tecnici **nelle** nazioni in via di sviluppo.

* Uscito dall'autostrada e giunto **nelle** vicinanze della città, mi sono fermato per consultare la carta stradale.

MOTO PER LUOGO

* Da giovane ha viaggiato molto **in** Europa e **in** America.

* Per respirare aria pura, molte persone fanno lunghe passeggiate **nei** parchi o **nei** boschi.

* Quando li lascio soli, dico sempre ai miei figli di non giocare e correre **nella** strada.

* Ieri, a lezione c'erano tanti studenti che non riuscivano nemmeno a muoversi **nell'**aula.

* Mi sono aggirata a lungo **nel** paesino prima di ricordare dove abitava Paola.

* Domenica scorsa non sapevo dove andare; ho gironzolato **in** centro, senza meta.

* Se ho tempo libero, mi piace recarmi alla Standa e girare **nei** diversi reparti.

* La sera, dopo le otto, **in** questa strada, non passa mai anima viva.

* Quando sono al mare, la mattina presto cammino **nella** spiaggia a piedi nudi.

* Questo giornale è diffuso **in** tutto il mondo.

TEMPO DETERMINATO - DURATA NEL TEMPO

* Quando ho un appuntamento, arrivo **in** anticipo, o **in** ritardo, ma mai **in** orario.

* A Perugia, **in** inverno, fa molto freddo.

* **In** questo momento, piove a dirotto.

* Adesso è cambiato molto, ma **in** gioventù Lorenzo era timido e complessato.

* Aspettami in macchina, farò tutto **in** dieci minuti.

* Mi sono laureato brillantemente a Napoli **nel** 1966.

* **Nel** primo pomeriggio, di solito, mi riposo una mezz'oretta.

* **Nella** giornata di ieri, diversamente dal solito, ho fatto molte cose interessanti.

* **Nello** scorso anno in Italia sono aumentati quasi tutti i prezzi, particolarmente quello della benzina.

* Per mantenersi all'università, Rita studiava e **nello** stesso tempo lavorava.

* L'attuale Costituzione Italiana è entrata in vigore **nell'**anno 1948.

* E' arrivato alla stazione proprio **nell'**attimo in cui il treno partiva.

* A Napoli e a Roma, **nell'**ora di punta, il traffico è particolarmente caotico e difficile.

* **Nei** mesi estivi, le località turistiche sono molto affollate.

* **Nei** giorni precedenti al loro matrimonio, Marcella e Guido avevano ancora mille cose da fare.

* **Nelle** notti d'estate quando l'aria è afosa, dormiamo con le finestre aperte.

* Quando la sera vado a letto presto, mi sveglio **nelle** prime ore del mattino.

* **Negli** splendidi giorni che passai a Taormina, ho conosciuto molti ragazzi simpatici e cordiali.

* Cerco sempre di non ricordare le cose tristi che mi sono successe **negli** anni passati.

MODO o MANIERA

* Non desidero altro che vivere **in** pace e senza problemi.

* Perché cammini così **in** fretta? Non riesco a starti dietro!

* Ha ascoltato tutti i miei rimproveri **in** silenzio, senza rispondere.

* Sono **in** ansia (**in** pensiero) per Giovanni che deve viaggiare con questo brutto tempo.

* Non si possono fare gli esami se non si è **in** regola con il pagamento delle tasse.

* Ci sono ancora molte persone che vivono **in** miseria.

* Ha sbagliato, ma ha sicuramente agito **in** buona fede.

* Non mi piace la carne **in** scatola.

* Ho chiesto un'informazione ad un signore, ma non l'ho capito perché parlava **in** dialetto.

* Era molto tardi quando ho suonato a casa di Maria: è venuta ad aprirmi **in** vestaglia e **in** pantofole.

* Nei sentieri di montagna, si deve camminare **in** fila indiana.

* Non è un modello unico: è fatto **in** serie.

* Sono entrata in camera **in** punta di piedi per non svegliarla.

* Non ti sopporto quando mi parli **in** questo tono.

* Se fossi in te, mi comporterei **in** modo diverso.

LIMITAZIONE - MATERIA

* Ho un fratello laureato **in** medicina.

* Mia figlia è scadente **in** latino, ma brava **in** matematica.

* Dopo la laurea, Claudio ha deciso di specializzarsi **in** pediatria.

* Possiede una fortuna **in** beni immobili.

* Secondo il Vangelo, si può peccare **in** pensieri, parole, opere ed omissioni.

* Il politologo è esperto **in** problemi politici.

* Non puoi competere con lui, ti supera **in** intelligenza ed **in** simpatia.

* **In** apparenza sembra molto calmo, ma **in** realtà è molto nervoso.

* Molte idee che sono giuste **in** teoria, **in** pratica non sono realizzabili.

* E' caro perché è un libro rilegato **in** cuoio.

* All'ingresso della villa c'è un cancello **in** ferro battuto.

FINE o SCOPO

* Questo esemplare non è **in** vendita, è solo **in** mostra.

* Per il mio compleanno ho ricevuto **in** dono (**in** regalo) un orologio d'oro.

* Gli ho dato **in** prestito un libro, ma non me l'ha ancora restituito.

* Prenderò **in** affitto una camera al centro.

* E' stata organizzata una grande festa **in** onore degli illustri ospiti.

* Ho parlato **in** tuo favore perché lo meriti.

* Le case editrici mandarono **in** visione (**in** esame) ai professori i libri da adottare.

* Ho rinnovato l'abbonamento alla rivista Panorama e, **in** omaggio, ho avuto un portachiavi.

* Se sarà promosso all'esame, gli ho promesso **in** premio una motocicletta.

* Mi si è rotta la macchina e un signore è venuto gentilmente **in** mio aiuto.

* Mi ha scritto una lunga lettera **in** segno di gratitudine e di stima.

MEZZO

* E' salito al quinto piano **in** ascensore.

* Raggiungo il posto di lavoro **in** autobus.

* Non mi piace viaggiare **in** treno perché mi annoio.

* Sono venuto dal mio paese **in** aereo.

* Al Corso c'è divieto di transito; non è possibile arrivarci **in** macchina.

* In primavera faccio delle lunghe passeggiate **in** bicicletta.

* Domenica scorsa abbiamo fatto una gita **in** barca sul lago Trasimeno.

* Raccontatemi **in** poche parole il film che avete visto.

* Per avere un forte sconto ho dovuto pagare **in** contanti.

INFINITO SOSTANTIVATO PRECEDUTO DA IN
(Fa le veci del gerundio)

* **Nel pronunciare** quelle parole, arrossì.

* **Nel lavarlo,** ha rotto il bicchiere.

* **Nel tornare** a casa, ha incontrato un vecchio amico.

* **Nell'aprire** la porta di casa, si accorse che erano entrati i ladri.

* Sbagli di grosso, **nel credere** a tutti.

* **Nel fare così,** ti stai rovinando la reputazione.

* Mi sono innervosito **nell'ascoltare** il suo monotono tono di voce.

* **Nell'apprendere** la notizia della vincita, fece salti di gioia.

* **Nell'accendere** il fuoco, mi sono scottata una mano.

* **Nello scendere** le scale, non ho visto l'ultimo gradino e c'è mancato poco che cadessi.

ESPRESSIONE GIUDICATIVA

* Non sei mai soddisfatto, ma **in somma** che cosa vuoi dalla vita?

* Molti parlano male di lui, ma **in fine dei conti (in fondo)** è un bravo ragazzo.

* Sarà difficile che tu riesca a superare quell'esame ma, **in ogni modo,** provaci!

* Ha parlato tanto ma, **in conclusione,** non ha detto niente di nuovo.

* Le cose che lui racconta, **in buona parte,** sono false.

* E' strano che oggi Angela sia triste, **in genere** è sempre allegra.

* Lavora molto, **in media** rimane in ufficio dieci ore al giorno.

* Mi sento stanco: **in effetti** ho avuto una giornata molto faticosa.

FRASEOLOGIA

* E' fortunato: è riuscito a **mettere in atto** i suoi desideri.

* **In attesa di una tua sollecita risposta,** ti saluto affettuosamente.

* Il treno per Roma **è in arrivo** sul terzo binario.

* **Ho lasciato in bianco** la data dell'assegno che ho firmato ieri.

* E' il momento propizio, gli affari gli **vanno di bene in meglio.**

* Il libro non è stato ancora pubblicato; è **in corso di stampa.**

* Se puoi, aiutalo, ora **si trova in cattive acque** (in una situazione difficile).

* Non fare complimenti, **in caso di bisogno** telefonami pure.

* Ho deciso di parlargli **per mettere in chiaro la situazione** una volta per tutte.

92

* Nel passato i maestri avevano l'abitudine di **mettere in castigo** gli alunni, dietro la lavagna.

* Devi credermi, **in coscienza,** non posso fare ciò che mi chiedi.

* Questo prodotto è stato **preparato in conformità delle leggi** vigenti.

* Il professore lavora **in collaborazione con** il suo assistente.

* Non è bella ma, **in compenso,** è molto simpatica.

* **E' in congedo (in permesso)** per motivi di salute.

* Gli ho fatto una proposta ma lui **non l'ha neanche presa in considerazione.**

* Per il suo lavoro **è sempre in contatto** con persone influenti.

* Non riesce a far niente perché **è in piena crisi.**

* Sta male, **è in cura** da un famoso specialista.

* **L'ho messa in difficoltà** quando le ho chiesto l'età.

* Non ama la compagnia, **se ne sta sempre in disparte.**

* Su questo problema **ci troviamo in disaccordo.**

* Arrivato a Roma, ho lasciato le valige **in deposito** alla stazione.

* Prima di uscire, **mette tutto in ordine** perché non le piace lasciare la casa in disordine.

* **In fretta e furia,** ha preparato la valigia ed è partito.

* **Ho messo in funzione** la lavatrice perché c'era tanta roba da lavare.

* Deve aiutarmi perché non **sono in grado** da solo di tradurre questa lettera.

* Parla in modo strano: per questo **tutti la prendono in giro.**

* Ora comincia a sospettare: gli **hanno messo una pulce nell'orecchio.**

* Ha risolto un difficile rebus **in men che non si dica.**

* **Devi stare in guardia** perché è in gioco la tua carriera.

* Avrà successo perché è **una persona in gamba.**

* Mario è **tenuto in poco conto** dai suoi superiori.

* Non posso accettare il tuo invito perché **sono in partenza** per il mio paese.

* Sai bene che non è **nelle mie possibilità (in mio potere)** farti questo favore.

* In quell'occasione io scherzavo, ma lui **mi ha preso in parola**.

* In seguito ad un incidente stradale è **in pericolo di vita**.

* Gli operai **sono in sciopero** da molto tempo e per questo l'azienda è **in forte passivo**.

* Quello che dici è talmente assurdo e inverosimile che non **sta né in cielo né in terra**.

* Non chiedermi soldi in questi giorni perché non ne ho: lo sai che quando arriva la fine del mese **sono sempre in bolletta**.

* **Affogare in un bicchier d'acqua** vuol dire perdersi di fronte alle più piccole difficoltà.

* E' difficile seguire i suoi ragionamenti, passa di argomento in argomento, come si dice **salta di palo in frasca**.

* La soluzione del problema è **ancora in alto mare**.

* Per il convegno tutto è stato deciso: è **in forse** solo la partecipazione di un esperto straniero.

* A vedere tutti quei dolci, mi **viene l'acquolina in bocca**.

* **Sta' in guardia** perché c'è poco da fidarsi!

* Smettila di sognare, tanto i tuoi progetti **sono** tutti **castelli in aria**.

* Non può partecipare al concorso perché non è **in possesso** dei titoli necessari.

* Cerca di risparmiare il più possibile **in previsione delle** spese che dovrà sostenere.

* Che cosa **avete in programma** di fare questa sera?

* Per ora è in prova, ma date le sue notevoli capacità, sarà certamente **assunto in pianta stabile**.

* Per conoscerlo bene, dovresti vederlo non solo **in pubblico,** ma anche **in privato.**

* Non ti ho telefonato **in quanto** pensavo di vederti.

* L'incendio ha bruciato tutto; niente **è stato messo in salvo.**

* Quanto spendo **in totale?**

* Negli ultimi tempi molte nuove leggi **sono entrate in vigore.**

* Si è mangiato una scatola di cioccolatini **tutta in una volta.**

* Ti raccomando di non **mettere in piazza gli affari miei** (raccontare alla gente gli affari miei).

* Tra tutti i presenti è stato l'unico a centrare, **in pieno,** il problema.

* Non vedi che ho bisogno di aiuto? Su, muoviti, **non stare** lì **con le mani in mano.**

* Mi ha parlato a lungo cercando di persuadermi a prestargli dei soldi, ma **ha fatto un buco nell'acqua** (non c'è riuscito).

* Appena gli ho chiesto un favore, **si è fatto in quattro** per farmelo.

* E' certamente la persona più corretta e coerente che io conosca: avrà anche dei difetti, ma non si può certo dire che **tenga il piede in due staffe.**

* E' tanto tempo che desidero avere un bambino: sono così felice perché finalmente mia moglie **è in stato interessante.**

* Non si accontenta mai di ciò che fanno gli altri; trova sempre qualcosa di sbagliato, insomma è uno che, come si dice, **cerca sempre il pelo nell'uovo.**

Preposizione **PER**

La preposizione **PER** si usa per indicare:

* Moto per luogo.
* Moto a luogo - Destinazione.
* Tempo: a) determinato, b) continuato.
* Mezzo.
* Causa - Colpa.
* Prezzo - Misura o estensione.
* Limitazione.
* Fine o scopo - Vantaggio e svantaggio.
* Modo o maniera.
* Sostituzione - Scambio.
* Elemento distributivo.

Si presentano inoltre:

a) Per + Infinito: situazione finale, situazione causale, situazione consecutiva.

b) Locuzione « Stare per ».

c) Fraseologia.

MOTO PER LUOGO

* Tornando dalla mia vacanza in Sicilia, sono passato **per** Napoli.

* E' entrato **per** la finestra perché aveva dimenticato la chiave di casa.

* Nei locali pubblici, in caso di emergenza, si esce **per** l'uscita di sicurezza.

* Il traffico è bloccato perché gli scioperanti stanno sfilando **per** le vie del centro.

* I Perugini hanno l'abitudine di passeggiare **per** il Corso Vannucci.

* La notizia dell'incidente si è diffusa rapidamente **per** tutto il paese.

* Sono andato in giro **per** la città in cerca di un appartamento.

* Prima dell'esame, gli studenti camminano nervosamente **per** il corridoio in attesa di essere chiamati.

* Ciò di cui mi accusi non mi è mai passato **per** la mente.

MOTO A LUOGO - DESTINAZIONE

* Stasera ha organizzato una festa perché domani partirà **per** il suo paese.

* E' questo l'autobus **per** la stazione?

* Sono arrivato a Roma con l'aereo e ho proseguito **per** Perugia in treno.

* E' in partenza sul primo binario il rapido **per** Firenze.

* Ho preso la strada più breve **per** l'università.

* Se ne è andato non so **per** quale destinazione.

* Il vaso è caduto **per** terra e si è rotto in mille pezzi.

98

* I miei amici sono scesi a Milano, io ho continuato il viaggio **per** Bologna.

* In questi ultimi anni è di moda organizzare viaggi **per** l'Estremo Oriente.

* La nave che doveva salpare **per** la Grecia ieri sera alle otto, è ancora nel porto a causa di un'avaria al motore.

TEMPO

a) Determinato

* Il vestito sarà pronto **per** la fine del mese.

* Ho telefonato ai miei per informarli che **per** Natale non tornerò a casa.

* Sto uscendo, ma sarò di ritorno **per** le dieci.

* Devo assolutamente finire questo lavoro **per** domani.

* **Per** sabato prossimo l'università ha organizzato una gita a Todi e Orvieto.

b) Continuato

* Sono stanco perché ho viaggiato **per** tutta la notte.

* Ho lavorato sodo **per** anni; ora vorrei prendermi una lunga vacanza.

* E' una persona eccezionale: la ricorderò **per** tutta la vita.

* Sono andato a parlare con il capoufficio perché mi serviva un permesso **per** tre giorni.

* Per quanto tempo hai studiato l'inglese? L'ho studiato **per** cinque anni.

MEZZO

* Non è necessario che mandi quel pacco **per** posta: glielo consegnerò personalmente quando andrò a Roma.

* Mi ha avvertito **per** telefono che arriverà la settimana prossima.

* Non ha bisogno di essere aiutato: riuscirà a farsi strada **per** i suoi meriti.

* Ho appreso la notizia **per** radio.

* Non me l'ha spiegato nessuno, ma **per** deduzione non può essere che così.

* Ho conosciuto quella bella ragazza **per** mezzo di un amico.

* Costa molto spedire cose pesanti **per** via aerea.

* Non ha avuto il coraggio di dirmelo a voce, me l'ha comunicato **per** lettera.

* **Per** mezzo di parenti ed amici, è riuscito ad avere la somma di cui aveva bisogno.

CAUSA - COLPA

* Ha rifiutato ogni aiuto materiale **per** orgoglio.

* **Per** quale motivo non sei venuto a lezione stamattina?

* Ha avuto un incidente **per** la nebbia e **per** il maltempo che imperversava in tutta la regione.

* Quel ragazzo sarà premiato **per** la sua bontà.

* Dico sempre ai miei genitori di non stare in pena **per** me se rientro tardi la sera.

* E' in permesso **per** malattia.

* **Per** lo sciopero oggi i treni non viaggiano.

* E' stato licenziato **per** scarso rendimento.

* E' stato processato **per** omicidio, ma ha avuto solo una condanna **per** rapina a mano armata.

* Non mi ha salutato, non so se l'abbia fatto **per** timidezza o **per** distrazione.

* **Per** colpa tua, sono stato rimproverato io!

* Mi sembra che tu stia esagerando, non preoccuparti **per** questo!

* Vorrei fare tante cose ma, **per** mancanza di tempo, riesco a farne solo la metà.

PREZZO - MISURA o ESTENSIONE

* Ha venduto la sua vecchia auto **per** cinquecentomila lire.

* Ha fatto una assicurazione sulla vita **per** 200 milioni.

* In occasione del suo matrimonio, ha ricevuto regali **per** molti milioni.

* Quest'anno quel negoziante ha venduto merce **per** centinaia di milioni.

* Ho percorso una strada panoramica che **per** vari chilometri costeggiava il lago Trasimeno.

* Per lavori in corso, la strada è interrotta **per** tre chilometri.

* Londra è una grande città: si estende **per** chilometri e chilometri.

* E' stato costruito un grattacielo che si innalza **per** 120 metri.

* Sono rientrata a casa un po' spaventata perché uno sconosciuto mi ha seguita **per** un lungo tratto.

LIMITAZIONE

* Avrà anche delle capacità, ma è proprio negato **per** questo lavoro!

* Aiutali a fare quell'esercizio, credo che **per** loro sia troppo difficile.

* E' l'unico che lavora seriamente, se non fosse **per** lui, il negozio non andrebbe avanti.

* **Per** impegno e serietà non credo di essere inferiore a nessuno.

* **Per** quanto mi riguarda (mi concerne) puoi fare ciò che desideri.

* Maria ci ha raccontato la sua versione, ma, **per** quanto ne sappiamo noi, le cose sono andate in maniera ben diversa.

* E' un attore che, **per** preparazione e bravura, supera tutti i colleghi.

* **Per** questa volta passi, ti perdono, ma non vorrei che la cosa si ripetesse ancora.

* L'amico con cui divido la camera è, **per** me, come un fratello.

* Luigi ha poi comprato la casa che gli interessava? **Per** quello che ne so io, l'affare non è stato ancora concluso.

* Quelle due ragazze non possono andare d'accordo perché sono profondamente diverse **per** carattere.

* E' una città famosa **per** le sue bellezze naturali.

FINE o SCOPO - VANTAGGIO e SVANTAGGIO

* Partirà domani e non ha ancora preparato il necessario **per** il viaggio.

* Non è certo un idealista: farebbe qualunque cosa **per** il denaro.

* **Per** che cosa ti servono le monete antiche che hai acquistato? Sono **per** la collezione di mio fratello.

102

* Tutti dobbiamo lottare **per** la pace e cooperare **per** il benessere collettivo.

* Ha fatto quel viaggio non **per** divertimento, ma **per** lavoro.

* Si è fatto fare un armadio a muro **per** i vestiti.

* Le acque di molti fiumi sono adoperate **per** scopi industriali.

* E' andata a visitare una mostra di libri **per** ragazzi.

* In caso di bisogno, i genitori farebbero qualunque cosa **per** il bene dei propri figli.

* Questo appartamento va bene **per** te, ma non **per** me.

* Non mi ascolta mai, tanto peggio **per** lui!

* Non so **per** chi votare.

* Non apprezzi quello che faccio, ma ricordati che è **per** il tuo bene.

* Ha sacrificato tutta la sua vita **per** la famiglia.

* Non ha voglia di fare niente; non è facile trovare un lavoro **per** lei.

* Suggeriscigli di passare una vacanza in montagna; è proprio quello che ci vuole **per** lui!

MODO o MANIERA

* Non prenderlo sul serio, ormai lo conosci bene, parla sempre **per** scherzo.

* Mario e Rita hanno cominciato a frequentarsi **per** gioco e hanno finito per sposarsi.

* Se **per** caso lo vedi, digli di telefonarmi.

* Credevo di aver perso il mio passaporto ma, **per** fortuna, l'ho ritrovato.

* I candidati sono stati convocati all'esame di concorso **per** ordine alfabetico.

* Ha dovuto mettere **per** iscritto e sottoscrivere le sue dichiarazioni.

* Prima di correre bisogna imparare a camminare: nella vita tutto procede **per** gradi. .

* E' stata costituita di recente una società **per** azioni di cui faccio parte anch'io.

SOSTITUZIONE - SCAMBIO

* Non l'ho riconosciuto subito, a prima vista l'ho scambiato **per** un estraneo.

* Se non potrai venire stasera alla riunione, parlerò io **per** te.

* Pur non essendo ancora laureato, si spacciava **per** medico ed aveva addirittura aperto un ambulatorio.

* Passa **per** un uomo molto colto, ma la sua cultura è più apparente che reale.

* L'ultima frase che lo studente ha detto non aveva senso perché era stata usata una parola **per** un'altra.

* Quando ti comporti in questo modo, sono io che arrossisco **per** te!

* Ma **per** chi mi ha preso? Quando si rivolge a me, mi dia del Lei!

* Nell'attuale situazione economica non ci si può permettere di lasciare il proprio lavoro sperando di trovarne uno migliore: è rischioso abbandonare il certo **per** l'incerto.

ELEMENTO DISTRIBUTIVO

* Ho letto attentamente la tua composizione riga **per** riga.

* Lavorando insieme a lui, ho imparato giorno **per** giorno molte cose.

* E' stato fatto un elenco dividendo i candidati **per** età e **per** sesso.

* Ha preso dei fogli e ne ha distributo uno **per** ogni studente.

* Ho pagato in contanti per avere uno sconto del 20% (venti **per** cento).

* Sul mio deposito, la banca mi ha concesso un interesse del 15% (quindici **per** cento).

* C'è una lunga fila davanti alla segreteria: fanno entrare una persona **per** volta.

* Prima di partire per la gita, Maria ha preparato due panini **per** ognuno.

* In quel libro c'è una fotografia **per** pagina.

* E' talmente abituato ad usare la calcolatrice che la prende anche per moltiplicare due **per** due.

PER + INFINITO

a) Situazione finale

* Gli ho telefonato **per ringraziarlo** del bel regalo che mi aveva mandato in occasione del mio compleanno.

* Stamattina mi sono alzato presto **per andare** in campagna.

* Ho parlato tre ore **per convincerlo** senza riuscirci.

* Devo andare in biblioteca **per consultare** un libro.

* Si è fermato al bar **per prendere** un cappuccino.

b) Situazione causale

* E' stato multato **per aver parcheggiato** la macchina in divieto di sosta.

* E' rimasta intossicata **per aver mangiato** cibi avariati.

* E' stata rimproverata **per essere tornata** a casa tardi.

* E' stata licenziata **per non aver fatto** il proprio dovere sul posto di lavoro.

* Giotto è famoso **per aver dipinto** numerosi affreschi nella basilica di S. Francesco ad Assisi.

* Si è offeso **per non essere stato invitato** alla festa.

c) Situazione consecutiva

* Quello che dici è troppo bello **per essere** vero!

* Per ora basta, sono troppo stanco **per continuare** a studiare.

* Non guadagna abbastanza **per permettersi** certi lussi, come la casa in campagna e la macchina sportiva.

* Sono le 22: ormai è troppo tardi **per andare** a teatro.

* Lo conosco bene: è troppo moderato **per accettare** le mie proposte innovatrici.

STARE PER... (1)

* **Stavo per uscire** quando cominciò a piovere.

* Abbiamo avuto la stessa idea: quando mi hai chiamato, **stavo** proprio **per telefonarti.**

* Proprio in questi giorni, il governo **sta per presentare** le dimissioni.

* Non vanno più d'accordo, credo che **stiano per separarsi.**

* Devo preparare le valige perché **sto per partire** per la montagna.

* Ascoltami perché **sto per dirti** una cosa importante.

* In un prossimo futuro avrò molto tempo libero perché **sto per andare** in pensione.

---

(1) La locuzione **stare per**, che significa « essere sul punto di », « essere in procinto di », si usa per indicare una azione prossima, immediata o soltanto intenzionale.

* Non so se lo fa apposta, ma viene sempre da me quando **stiamo per metterci** a tavola.

* Mi sono trattenuta, ma non ne potevo più e **stavo per rispondergli** per le rime.

* E' inutile che ti dia il mio indirizzo perché **sto per cambiare** casa.

FRASEOLOGIA

* E' un prodotto molto buono e, **per di più (per giunta)**, costa poco.

* Dante Alighieri è considerato il Poeta **per eccellenza**.

* **Per carità (per l'amore di Dio)** aiutami!

* E' sempre molto scortese, **per esempio** ieri non mi ha salutato.

* **Per amore o per forza** farà quello che dice suo padre.

* E' arrivato in ritardo alla stazione e, **per poco**, non perdeva il treno.

* Desidera visitare l'Italia **per lungo e per largo**.

* Quando mi inviterai a cena, ricordati di avvertirmi **per tempo**.

* Sono indeciso, **per un verso** mi piacerebbe fare quel viaggio, **per un altro** temo che sia troppo costoso per le mie possibilità.

* Quell'uomo **ha un debole per le bionde**.

* Mangia tutto, ma **va matto per la zuppa inglese**.

* Ho visto una pelliccia così bella che **darei un occhio per averla**.

* **« Occhio per occhio, dente per dente »**, è un noto proverbio italiano.

* Va in ufficio e non fa niente: è presente solo **per onor di firma**.

* Non ha capito la lezione perché mentre spiegavo **stava con la testa per aria** (era distratto).

* E' spesso vero che **non tutto il male viene per nuocere**.

* Sei giovane ed ingenuo! Devi imparare a non **prendere per oro colato** (per completamente vero) tutto quello che si dice in giro.

* Paolo? Non solo lo conosco benissimo e da lungo tempo, ma siamo **amici per la pelle.**

* Ora ho fretta, non posso descriverti il mio progetto in tutti i dettagli, devo farlo **per sommi capi.**

* E' un professionista serio ed affermato e attualmente **va per la maggiore.**

* Anche nelle più avverse condizioni, è tenace, non demorde mai, lotta sempre; è il tipo che **non si dà per vinto.**

* Quando ha capito che la riunione **andava per le lunghe,** ha telefonato alla moglie per dirle di non aspettarlo a cena.

* Finalmente ti rivedo, ti ho cercato a lungo, **per mare e per terra.**

* Non farei ciò che mi chiedi **per tutto l'oro del mondo.**

* Quando è ritornato, **ha raccontato per filo e per segno** tutto quello che gli era successo.

* Non solo non ha mai capito bene le mie parole ma, quello che è peggio, **ha preso fischi per fiaschi** (ha interpretato male).

* Ti consiglio di non andare stamattina dal capufficio: **ha un diavolo per capello** (è arrabbiato e di pessimo umore).

Preposizione **SU**

La preposizione **SU** si usa per indicare:

* Luogo (sovrapposizione con contatto, senza contatto, vicinanza immediata).
* Moto.
* Argomento.
* Età - Tempo - Valore - Quantità.
* Modo o Maniera.

Si presenta inoltre:

a) Fraseologia.

LUOGO

(sovrapposizione con contatto, senza contatto, vicinanza immediata)

* Ha rotto il vaso che era **sul davanzale** della finestra.
* E' allergica alla lana **sulla** pelle.
* Perugia si trova a 493 m. **sul** livello del mare.
* Ci piace giocare **sulla** spiaggia.
* Sento freddo, vorrei un golf **sulle** spalle, vammelo a prendere!
* Londra è **sul** Tamigi.
* Appena entrata era talmente stanca che si è seduta **sulla** prima sedia che ha trovato.
* La sua interpretazione non è basata **sui** fatti, ma su vaghe impressioni.
* Non è più un segreto: è **sulla** bocca di tutti.
* E' vero che il prezzo della benzina è diminuito? Sì, l'ho letto **sul** giornale.
* Il film che stavo vedendo in televisione era talmente noioso che mi sono addormentato **sul** divano.
* Ricordati di applicare una marca da bollo **sul** foglio, altrimenti la domanda non è valida.
* **Sulle** pareti della mia camera ho appeso molti quadri.
* I veri amici si possono contare **sulla** punta delle dita.
* Ha una bella villa **sulle** rive del Lago di Garda.
* E' molto disordinato, quando rientra posa tutto **sul** tavolo.
* E' sdraiato **sul** letto perché non si sente bene.
* Il suo articolo sarà pubblicato **su** una rivista critico-letteraria.
* Per uno sciopero imprevisto, l'aereo è rimasto a lungo fermo **sulla** pista prima di decollare.
* Pulisci quella macchia **sul** pavimento.
* Ho lasciato l'ombrello **sull'**autobus e credo che non lo ritroverò.

112

MOTO

* Appena saputa la notizia, è accorso **sul** posto.

* L'aereoporto di Roma è chiuso, ci dirigiamo **su** Napoli.

* E' salito **sul** treno senza fare il biglietto.

* La sera è bello andare **sul** lungomare per fare una passeggiata.

* Finita la storia d'amore, ha gettato tutte le sue lettere **sul** fuoco.

* L'assassino torna sempre **sul** luogo del delitto.

* Venite **sul** terrazzo ad ammirare il panorama!

* Mi sembra ieri che i primi astronauti sono sbarcati **sulla** luna.

* Ama la montagna e fa spesso delle escursioni **sul** Monte Bianco.

* Ieri sono caduta **sul** marciapiede e mi sono fatta male al ginocchio destro.

* Quando siamo arrivati **sul** molo, il traghetto per l'isola Maggiore era già partito.

* Si è arrampicato **sull'**albero per cogliere la frutta.

* Quando la polizia mi ha fermato, ho rallentato e mi sono accostato **sulla** destra.

* Hanno suonato: Piero è uscito **sul** balcone per vedere chi è.

* Giunta a New York, Paola si è subito recata **sulla** Quinta Strada per fare acquisti.

ARGOMENTO

* Sta facendo una ricerca **sulle** origini della lingua italiana.

* I ministri si sono incontrati e hanno discusso **sulla** grave situazione economica.

* Ha tenuto una interessantissima conferenza **sull'**arte moderna.

* Hai letto l'ultimo saggio **sulla** vita di A. Manzoni?

* Ho riflettuto a lungo **su** quello che mi hai consigliato, devo ammettere che hai ragione.

* Un grande filosofo tedesco ha scritto un trattato **sulla** morale.

* Si è laureato in lettere discutendo una tesi **sulla** poesia moderna.

* L'ho ascoltato con interesse perché nella sua trattazione si è soffermato **su** vari temi.

* **Su** questo punto non mi trovi d'accordo.

* Sa tutto **sulla** storia greca.

* I professori hanno espresso un giudizio positivo **sulle** capacità dello studente.

* Non è facile prendere una decisione: in questo caso sono ancora incerto **sul** da farsi.

* **Su** questo argomento mi sembra di non avere niente da aggiungere.

* Non le sta mai bene niente: trova da ridire **su** tutto e **su** tutti.

* Ho telefonato alla stazione per avere informazioni **sull'**orario dei treni in partenza per Firenze.

ETA' - TEMPO - VALORE - QUANTITA'

* E' molto giovane: avrà **sui** venti anni.

* **Sul** finire dell'estate, di solito comincia a piovere.

* Sono stanco: è una settimana che lavoro **sulle** dieci ore al giorno.

* Allora d'accordo, ci vediamo **sul** tardi!

* Gli anni sembrano non pesargli: sarà **sulla** sessantina ma non li dimostra proprio.

* Pur mangiando molto non ingrassa: peserà **sui** 50 Kg.

* Per preparare quel dolce, occorrono **sui** tre etti di zucchero.

* Per fare una camicia, servono **sui** 2 metri di stoffa.

114

* Attualmente, per comprare un mini-appartamento in montagna, ci vorranno **sui** quaranta milioni.

* Il suo patrimonio vale **sui** tre miliardi.

* Il suo anello potrebbe valere **sui** due milioni.

* Quella casa in vendita è stata stimata **sui** 200 milioni.

* Per il solo viaggio di andata, spenderà **sulle** 500.000 lire.

* Sai quanto costa un buon vocabolario d'italiano? Costerà **sulle** 30.000 lire.

* E' un bell'appartamento, mi sembra che paghi **sulle** 250.000 lire al mese di affitto.

MODO

(secondo, in seguito a, seguendo l'esempio di)

* E' molto caro far confezionare abiti **su** misura.

* Qualsiasi ditta, **su** richiesta, spedisce catalogo e listino prezzi.

* Ci dispiace, non abbiamo niente di pronto, lavoriamo solo **su** ordinazione.

* E' venuto in visita ufficiale in Italia **su** invito del Presidente della Repubblica.

* Ho smesso di fumare **su** consiglio del medico.

* Le banche concedono prestiti solo **su** garanzia.

* Non insistere, ti credo **sulla** parola!

* Ha giurato **sul** suo onore di gentiluomo.

* **Sull'**esempio del padre, si è messo negli affari.

* La biblioteca, **su** mia proposta, ha fatto l'abbonamento a varie riviste.

* Non ha ancora una precisa idea politica e voterà **su** indicazione della madre.

* Ha fatto una ricerca **su** incarico del Consiglio Accademico.

* Quel famoso chirurgo riceve solo **su** appuntamento.

* E' stata organizzata una festa di beneficenza **su** iniziativa della CRI (Croce Rossa Italia).

* E' stato assunto **su** suggerimento del direttore.

FRASEOLOGIA

* Non è certamente una persona di cui ci si possa fidare: quando tratti con lui, ricordati sempre di **fargli mettere nero su bianco.**

* Ieri sera mi sono divertita moltissimo alla festa anche se a mezzanotte, **proprio sul più bello,** sono dovuta tornare a casa.

* La tua tesi è insostenibile: tentare ancora di giustificarla e renderla credibile significherebbe **arrampicarsi sugli specchi.**

* Sono sicurissima di quello che dico, ci **metterei la mano sul fuoco.**

* Questa volta, contrariamente al solito, non scherzo, ma **faccio sul serio.**

* Aspetta ancora qualche giorno: non puoi pretendere che **decida** così **su due piedi!**

* Quando parla, **nove volte su dieci,** ha ragione.

* Finirai con il sembrare a tutti antipatico se continuerai a **stare sempre sulle tue.**

* Dimmi come è andato l'esame! Non **tenermi** più **sulle spine.**

* In questi giorni è così nervoso che **va su tutte le furie** per ogni piccola contrarietà.

* E' difficile se non impossibile fargli cambiare idea: non **torna** mai **sulle sue decisioni.**

* Questa agenzia organizza dei bei viaggi da **mezzo milione in su.**

* Quando sono andato a trovarlo, **era sul punto** di uscire con tutta la famiglia.

116

* Tu dici che Laura è simpatica, ma **a me non va né su né giù.**

* Alla fine del corso preparatorio, conoscerai **su per giù** tremila parole.

* Dato che il tuo libro ha ottenuto un gran successo, devi continuare a scrivere; a questo punto non puoi permetterti di **dormire sugli allori.**

* Se fai tardi la sera, telefonami, lo sai che quando alle nove non ti vedo, **comincio a stare sui carboni ardenti.**

I N D I C E